Ancrées dans le Nouvel-Ontario, les Éditions Prise de parole appuient les auteurs et les créateurs d'expression et de culture françaises au Canada, en privilégiant des œuvres de facture contemporaine.

Éditions Prise de parole
C.P. 550, Sudbury (Ontario)
Canada P3E 4R2
www.prisedeparole.ca

Nous reconnaissons l'aide financière du gouvernement du Canada par l'entremise du Fonds du livre du Canada (FLC) et du programme Développement des communautés de langue officielle de Patrimoine canadien, ainsi que du Conseil des Arts du Canada, pour nos activités d'édition. La maison d'édition remercie le Conseil des Arts de l'Ontario et la Ville du Grand Sudbury de leur appui financier.

ONTARIO ARTS COUNCIL
CONSEIL DES ARTS DE L'ONTARIO
an Ontario government agency
un organisme du gouvernement de l'Ontario

Conseil des Arts   Canada Council
du Canada   for the Arts

Car les dieux sont avec nous

Un pharaon errant
Quitte ou double
Le pied à terre

Dominique Millette

Car les dieux sont avec nous

Un pharaon errant
Quitte ou double
Le pied à terre

Novellas

Éditions Prise de parole
Sudbury 2016

Conception de la première de couverture : Olivier Lasser, d'après une photographie de Dominique Millette (*Bas-relief et tuiles sur un mur du vieux Chicago*)

Édition : Stéphane Cormier
Révision linguistique : Eva Lavergne et Luba Markovskaia
Correction d'épreuves : Suzanne Martel, Gérald Beaulieu
et Chloé Leduc-Bélanger

Diffusion au Canada : Dimedia

Catalogage avant publication de Bibliothèque et Archives Canada
Millette, Dominique, 1966-, auteur
Car les dieux sont avec nous / Dominique Millette.

Nouvelles. Publié en formats imprimé(s) et électronique(s).
ISBN 978-2-89423-990-2. – ISBN 978-2-89423-991-9 (pdf). –
    ISBN 978-2-89423-992-6 (epub)
I. Titre.
    PS8576.I557C37 2016   C843'.54   C2016-906106-X
                                           C2016-906107-8

ISBN 978-2-89423-990-2 (Papier)
ISBN 978-2-89423-991-9 (PDF)
ISBN 978-2-89423-992-6 (ePub)

L'être humain est parti à la découverte d'autres mondes, d'autres civilisations, sans avoir entièrement exploré ses propres abîmes, son labyrinthe de couloirs obscurs et de chambres secrètes, sans avoir percé le mystère des portes qu'il a lui-même condamnées.

Stanislas Lem, *Solaris*

Un pharaon errant

Le climat du Canada me fait souffrir, mais j'aime le pays. Ici, la plupart des gens laissent les étrangers en paix. Même les momies comme moi.

Ça n'a pas été facile de fausser compagnie aux archéologues. Heureusement que les burqas sont à la mode ces temps-ci; elles m'ont permis de passer inaperçu jusque chez le faussaire. Il n'a pas refusé l'or et les joyaux que j'avais réussi à récupérer de mon sarcophage. Ils ont parlé pour moi. J'ai quitté Le Caire en navire, sans savoir où je me dirigeais, mais me voici.

Je m'appelle désormais Amina Walid. Je suis veuve et j'ai soustrait quelques étés à mes 4 769 ans. Toute ma famille est morte pendant la guerre au Waziristan. Ma langue natale est l'ormuri, une langue obscure des montagnes qui n'est parlée par personne ici. Je peux donc éviter toute communication gênante avec d'hypothétiques compatriotes. Il est cependant plus difficile d'éviter les mains fébriles des hommes qui fouillent sous mon voile; mais j'ai très mauvaise haleine, et cela m'a servi à quelques reprises.

Au Caire, j'ai acheté l'histoire d'une vraie réfugiée du Waziristan. Elle y avait retranscrit la déclaration qu'elle avait remplie pour l'ambassade canadienne. Je l'ai mémorisée pour mon propre passage devant le tribunal de l'immigration, que j'attends toujours.

Je coule des journées assez tranquilles. Métro, séchoir, séchoir, boulot, séchoir, boulot, séchoir, séchoir, séchoir, dodo.

Il n'y a qu'un petit nuage à l'horizon. C'est mon patron. J'ai trouvé un boulot dans une pharmacie. Je remplis les étagères, ce qui est commode, car j'ai besoin d'éléments chimiques desséchants.

Je croyais pouvoir me fondre dans l'anonymat. Cependant, M. Green est intrigué par mon air mystérieux. Il me fait souvent cadeau de rince-bouche et m'a invité à souper chez lui. Je refuse par prétendue modestie, mais il ne me lâche pas. Ça me fatigue. Il m'est très difficile de ne pas pouvoir le faire fouetter ou mutiler pour son insolence. Je cherche de l'emploi ailleurs. Pas évident. J'ai battu les pavés pendant des mois avant de trouver ce boulot-ci.

Mon ouïe fonctionne bien depuis mon réveil, mais vu que je n'ai plus de cordes vocales, j'ai beaucoup de difficulté à me faire comprendre. Cela signifie que je n'ai pas de vie sociale. C'est sans doute mieux ainsi, mais je m'ennuie souvent.

Heureusement que j'ai découvert Internet. Ça me console énormément, même si la porno ne me fait aucun effet. J'ai presque cinq mille ans d'histoire à rattraper. Il y a de quoi me garder occupé. À lui seul, Twitter peut accaparer mon attention des journées entières, sans parler de Facebook, avec ses 30 395 333 vidéos de chatons adorables qu'on y téléverse par jour. Extraordinaire. Je me suis fait des tas de connaissances virtuelles, même si elles n'ont aucune idée de ma véritable identité.

Le plus dur, c'est de ne plus être pharaon. Après tout, j'étais un dieu. Je m'appelais Ninetjer, «possesseur du divin». Qu'est-ce que c'est que cette histoire de démocratie? J'ai toujours du mal à comprendre qu'on ne puisse pas fouetter les gens qui quêtent à qui mieux mieux dans la rue. Le manque de respect général vis-à-vis des gens au pouvoir me sidère. Si j'étais premier ministre, je couperais la tête à tous les caricaturistes et commentateurs qui oseraient critiquer mes décrets. Pardon, mes projets de loi. Je les jetterais du haut d'une pyramide. Je leur ferais administrer, au minimum, cent coups de canne pour qu'ils saignent. Les punitions de l'Égypte ancienne avaient du bon.

Malheureusement, je dois me taire, et ce, même en ligne, car j'ai bien constaté que les gens s'indignent facilement lorsque je leur donne mon avis. Puisque je ne veux pas perdre mes seuls interlocuteurs, je modère mes transports. C'est un prix tout de même assez modeste à payer pour ma résurrection.

Tout m'émerveille ici. Je ne mange plus, mais je vois à quel point la nourriture est abondante. Les gens mangent tout le temps et partout. C'est un miracle. Je me croirais au Paradis si je n'entendais pas les gens se plaindre continuellement. Ils s'inquiètent même d'être trop gros, et s'efforcent de ne pas manger et de faire de l'exercice. Quelle idée! À mon époque, c'était un honneur et une chance extraordinaire que d'être gros. Ça me donne envie de les envoyer construire des pyramides. Ils en brûleraient, des calories.

⁕

Je cours un risque aujourd'hui. Je rencontre Lusine. Au moins, comme elle est une femme, elle ne risque pas de vouloir me dévêtir. Nous avons commencé à échanger des messages sur Facebook et nous nous sommes découvert un intérêt commun pour les antiquités. C'est une étudiante postdoctorale en archéologie qui a du mal à se trouver des amis à Toronto. Je lui ai confié ma propre solitude, et depuis, nous compatissons l'une avec l'autre. Lorsque je lui ai fait part de mes difficultés à communiquer, elle a suggéré que je me procure un appareil qui transforme l'écriture en voix. C'est une excellente idée. Je reviens tout juste de Bureau en Gros avec mon achat. J'attends Lusine dans un café de Cabbagetown où l'air est aussi chaud et sec que dans le désert. Cela me console du petit froid qui s'immisce dans l'atmosphère de mi-septembre.

Je m'impatiente trop facilement. Avant, je n'avais qu'à lever le sourcil pour qu'on noie les impertinents qui osaient me déplaire. Aujourd'hui, je suis obligé d'être poli, d'attendre les gens, de les excuser, de les comprendre, et même de leur pardonner leurs offenses. Je ne suis toujours pas habitué. Heureusement, le voile cache mon visage, par ailleurs si desséché qu'on n'y lirait absolument rien de mon dépit. Je ne peux malheureusement plus compter sur les prêtres et les vizirs pour exaucer mes souhaits. Je dois ouvrir les portes moi-même. Au moins, il y a les portes automatiques : grâce à elles, je me sens un peu moins dépaysé.

Lusine se fait attendre. Je lui ai pourtant envoyé une photo de moi recouvert du voile intégral bleu marine que je porte actuellement. Il n'y a pas une armée de gens qui me ressemblent. Si j'avais des canaux lacrymaux, je sentirais sans doute une larme tomber. J'agite ma cuiller dans un café que je suis incapable de boire. Au moins, je dépense très peu. Comme les salaires des gens sans expérience sont bas dans le monde moderne, c'est mieux comme ça.

Une main m'effleure l'épaule et je sursaute. Lusine pousse un petit cri, puis commence à rire. Elle est entrée par la porte arrière. Je ressens un élan de joie.

– T'inquiète pas d'être muette, dit-elle. Je pourrai parler assez pour nous deux. Je suis tellement contente de te rencontrer.

Elle s'assoit avec grâce, les yeux pétillants, le visage rougi par le vent d'automne. Même à l'âge de 4 769 ans, je n'ai pas oublié l'effet que peut produire une jolie femme sur un pharaon. Seulement, cette fois, c'est entièrement émotif.

À l'aide de mon appareil, je lui raconte ma vie tout en attribuant mes connaissances à des recherches archéologiques. Lusine me comprend, car elle a étudié mon époque, la IIe dynastie thinite. Elle évoque même mon meilleur souvenir, le festival de Sokar, qui se tenait tous les six ans. J'aimais son aspect mélancolique, sombre, et son association à Osiris. En écoutant Lusine, je ressentirais un pincement au cœur si le mien n'avait pas été remplacé par un scarabée pendant mes cérémonies funéraires.

Je tape difficilement sur mon dispositif. Les gants me gênent, d'autant plus que mes doigts sont assez fragiles. L'autocorrecteur est frustrant. Si jamais un scribe avait commis autant d'erreurs sur un papyrus, je l'aurais décapité personnellement. Cependant, comme je ne veux pas effrayer ma compagne, je garde mon calme.

– D'où vient ton intelligence. ton intéressant. ton intérêt pour l'archerie. pour l'anarchie. pour l'archéologie ?

La voix qui s'élève de mon appareil est celle d'un comédien connu pour ses annonces de poulet au barbecue dans les années 1990. J'ai peut-être mal choisi, mais je ne veux pas me risquer à modifier les commandes à nouveau.

Lusine n'en a cure, heureusement.

– Quand j'étais petite, j'aimais lire l'encyclopédie de l'histoire mondiale que nous avions dans la bibliothèque du salon. Le plus drôle, c'est que mes parents l'avaient mise là pour épater leurs amis. Ils ne la lisaient jamais eux-mêmes. L'Égypte ancienne m'a fascinée dès que j'ai appris à lire.

Je ressens une vague de fierté culturelle. Nous avons bâti des monuments impressionnants. Il est vrai qu'il a fallu tuer beaucoup d'esclaves pour réaliser tout ça… Mais bon, c'était à la mode.

Mon interlocutrice change de sujet.

– Dis, je sais que tu n'es pas du genre à sortir dans les boîtes de nuit, mais je me demandais si ça t'intéresserait d'assister à des ateliers de danse. Je meurs d'envie d'essayer la salsa, mais je ne veux pas y aller toute seule. Peut-être que tu pourrais observer, tout simplement ?

La danse… Je revois les danseuses qui se trémoussaient devant moi, uniquement parées de jupes courtes, de ceintures ou de bijoux. Les fresques murales qui dépeignent leurs prouesses sont timides, malheureusement. Elles paraissaient bien s'amuser, même s'il était difficile de savoir ce qu'elles pensaient vraiment, puisqu'on les aurait fouettées et écartelées si elles avaient fait la grimace.

– J'ai toujours aimé la musique. Pourquoi pas ?

❖

L'atelier commence à vingt et une heures trente au Babaluu, en plein cœur de Yorkville. C'est un quartier que je fréquente peu souvent. Ses maisons sont richement ornées, mais pas autant que mon sarcophage.

La gêne me terrasse lorsque j'entre au restaurant. Les femmes élégantes en jupe fuseau, au vernis écarlate et aux talons aiguille me dévisagent avec hauteur. Pharaon ou pas, je me sens déplacé sous mon accoutrement. Je cherche une table où je pourrai me fondre dans le décor.

Une fois installé derrière un palmier, je guette l'entrée. Lusine arrive à l'heure, élégante, en jupe rouge volante, en blouse noire boléro et en talons modestes. Elle se précipite vers moi en poussant un cri de joie. Je suis sûr que j'entends des ricanements. Si j'avais mes vizirs avec moi, ces mécréants seraient transformés en pâté pour Anubis. Cependant, je ressens un élan de bonheur à la vue de Lusine, si animée.

– Merci, Amina. Tu me rends un très grand service en m'accompagnant.

Elle m'embrasse avec effusion. C'est là que les choses se gâtent. Heureusement que le voile cache la désintégration partielle de mon épaule droite. Merde. Je me dégage immédiatement, en glapissant d'un ton guttural. Lusine a les yeux ronds comme des billes.

– Oh! Je t'ai fait mal? Je suis tellement désolée!

Je suis secoué, mais j'invente une explication.

– C'est l'athéisme. l'arthrite. Pardon. Je n'ai pas songé à te le mentir. mentionner. J'ai prix. pris un coup de vieux de puits. depuis ces derrières. dernières années.

Lusine agite les bras et les mains comme un moulin à vent.

– Veux-tu partir? As-tu besoin d'aller à l'hôpital?

Je frémis. La dernière fois qu'on m'a fait subir des rayons X, je venais tout juste de sortir de ma tombe.

Je tape sur mon appareil. La voix qui en sort est beaucoup trop enjouée, en anticipation du barbecue, sans doute.

– Non ça va. Il faut tout simplement faire attention de ne pas trop me serrure. me serrer.

Je tâte ce qui me reste d'épaule. Au moins, le bras y est toujours rattaché. De retour à la maison, je devrai le recoller soigneusement en place, voilà tout.

Dès lors, Lusine est aux petits soins avec moi. Elle me trouve un coussin, insiste pour que je prenne du thé – ce qui n'est pas l'idéal, puisque cela me transformerait en pâte. Je fais semblant de le siroter, tout en le versant discrètement au sol.

Décidément, pour moi, la vie sociale est une mauvaise idée.

Ça me décourage. Puisqu'un pharaon ne cache jamais ses émotions – ce n'est pas nécessaire –, mon langage corporel trahit mon état d'âme à travers le voile.

Lusine a perçu mon abattement.

– Pauvre chérie… Ça doit être horrible pour toi! Écoute, je comprendrais si tu voulais partir.

Lusine a l'air tellement déçue à l'idée de mettre fin à la soirée que je ne peux pas lui faire le coup. C'est bien la première fois que je songe à faire plaisir à quelqu'un d'autre. Je trouve le sentiment déconcertant. Que faire? Je recommence à taper.

– Non, restaurant. restons. Ça ira. J'ai des confessions. commissions. comprimés.

La leçon commence. Je reste à table. Il y a beaucoup plus de cavalières que de cavaliers. D'après ce que j'ai compris, c'est courant à Toronto. Les hommes tentent tous d'inviter Lusine à danser.

Est-ce la jalousie qui me secoue? En suis-je capable? Il ne manquerait plus que ça. Dépité, j'observe Lusine s'amuser à la folie à tournoyer en cadence.

Je n'ai pas le temps de broyer du noir. Sans avertissement, un grand homme blond en sueur me saisit par la main. Il trouve peut-être ça drôle de courtiser une femme voilée. Je la retire précipitamment et la cache dans ma manche.

L'homme conserve cependant mon gant. Et mon petit doigt…

Je saisis aussitôt de l'autre main mon gant arraché et je l'enfile à la hâte. Encore plus de collage à faire ce soir. Je fais non de la tête, le plus vigoureusement possible sans m'autodécapiter. Mon prétendant s'approche de moi, intrigué. Pour la première fois depuis mon arrivée au pays, je sens que la terreur m'envahit. Va-t-il me laisser tranquille, enfin?

Une autre femme le tire par le bras.

– Laisse-la. Elle veut pas danser. Moi je veux.

Le grand blond hausse les épaules et la suit.

Ça y est : je veux partir. Où est Lusine? Je la cherche, mais ne la vois nulle part, même pas dans les toilettes. La colère me gagne. Elle m'a traîné ici pour ne pas être seule et m'abandonne à présent? Je quitte le restaurant, enragé.

Quelqu'un crie dans la ruelle. Je reconnais la voix de Lusine.

– Lâche-moi, espèce de salaud!

J'accours. Elle est à moitié dévêtue, et l'homme qui la tient clouée contre le mur a baissé son pantalon.

Désespérément, je cherche de l'aide. J'augmente le volume au maximum.

– À l'aube! À l'aube!

Maudit autocorrecteur. Pas fameux, comme appel à l'aide.

Malgré cela, mon intervention produit son effet. L'homme fige, interdit, puis s'enfuit sans demander son reste.

Lusine m'aperçoit et renonce juste à temps à se lancer dans mes bras. Elle fait un geste de prière.

– Mon héroïne! Merci, Amina. Ce type m'aurait probablement violée si tu n'étais pas intervenue.

Je me sens fier, presque pharaonique. J'ai agi malgré la peur. Mais voilà une émotion désagréable que je souhaite éviter, désormais.

– Je t'accompagne chez toi, annonce ma voix artificielle. C'est trop daniel. dangereux autrement.

Je ne m'étais jamais préoccupé des dangers que pouvaient courir les femmes. Avant, j'étais moi-même une menace pour elles. Il ne me serait jamais venu à l'esprit qu'une paysanne ou une esclave qui me plaisait veuille se refuser à moi. Ou qu'elle le puisse. Aux côtés de Lusine, tout change.

Elle ose pourtant me contredire.

— Non, non et non! Je ne veux pas te faire courir de risque. Je te paie un taxi. Ils sont là pour ça.

Lusine a raison. Ces chaises à porteurs mécaniques des temps modernes sont utiles.

Le chauffeur de taxi est barbu et a les cheveux graisseux. Il lorgne Lusine et fait comme si je n'existais pas. Pour le sentiment de sécurité, on repassera. Il lui pose un tas de questions.

— Es-tu mariée? As-tu un copain? Je peux avoir ton numéro?

Lusine reste indifférente, mais polie. J'ai peine à ne pas réagir. À mon époque, quiconque osait adresser la parole à la compagne d'un pharaon était brûlé vif. Je me distrais en imaginant sa graisse corporelle fondre avec celle de ses cheveux tandis qu'il pousse des cris à réveiller les morts.

Heureusement pour elle, mon amie sort la première. Elle a déjà payé pour moi et le compteur est éteint. Je lui envoie la main, puis me cale dans mon siège. Mon silence ne m'assure pas la tranquillité, au contraire. La voix du chauffeur se fait doucereuse.

— Je les aime bien modestes, moi. Je te gage que t'es un vrai pétard sous ce voile-là, avec des gros seins et des belles fesses.

J'en ai assez. Comme je suis presque arrivé à destination, je n'aurai pas à marcher longtemps.

Je tape.

– Tu veux vouloir ? voir ? Vraiment ?

Il a l'air surpris, mais excité.

– Oui, c'est sûr !

Je lève mon voile.

Ma peau est brune et ressemble à du cuir. Je n'ai plus de bouche. On voit mon rictus assez nettement et quelques dents émaillées sortent de ma mâchoire momifiée. Mon abdomen est assez bosselé, vu que l'on a retiré mes poumons, mon foie, mes intestins et mon estomac pour les mettre dans des jarres protégées par les Fils d'Horus.

Le chauffeur pousse un hurlement. Si je n'étais pas déjà revenu à la vie, je crois qu'il m'aurait réveillé.

Toujours en hurlant, il arrête le taxi et déguerpit.

Je remets mon voile et je sors. Mon appartement est à deux coins de rue. Somme toute, je ne me sens pas mal du tout.

Une fois à l'intérieur, je sors ma trousse de premiers soins : colle, bâtonnets, myrrhe, résine, bandelettes de rechange… Je raccommode mon épaule assez vite, mais mon doigt demande plus de temps. Le gant est rempli de miettes.

Je rage au nom de tous les dieux. J'invoque surtout Ammout, déesse de la rétribution et de la justice divine. C'est peut-être dangereux, vu mon passé. On verra bien.

Je ne dors jamais, mais je suis capable d'entrer en transe. J'en ai pris l'habitude, sans doute sous l'influence des mortels qui m'entourent. Le matin venu, je me sens pâteux. Une flaque d'eau se répand du déshumidificateur de la chambre à coucher. Merde. J'ai oublié de le vider. L'appareil s'est arrêté.

J'enfile mes grosses bottes de pêche et mes gants de caoutchouc, je vide le bac et je passe la vadrouille. L'appareil ne veut toujours pas démarrer. Il est encore chaud. Par chance, le déshumidificateur du salon fonctionne toujours, mais je dois rester devant pendant une heure, le séchoir à la main, pour me sécher convenablement. J'arriverai en retard au travail.

M. Green n'est pas content. Une grosse veine palpite sur sa calvitie, qui rougit progressivement.

– Où étais-tu? T'as trente minutes de retard! Tu savais qu'on attendait la première livraison du mois aujourd'hui?

– J'ai sulfite. subi une inondation ce matin, clame joyeusement ma voix d'annonce de barbecue.

C'est quand même pratique, cet appareil. Auparavant, je devais m'assurer de toujours avoir un calepin et une plume à proximité. Je les perdais constamment.

Le patron serre les poings. Il observe mon dispositif avec méfiance.

– J'enlèverai ça de ta paie. Dépêche-toi, il y a une trentaine de caisses qui t'attendent dans la remise.

Je garde le silence et je me pousse à l'arrière. Au moins, j'aurai la paix. Plusieurs clients attendent au comptoir.

La journée est dure. Comme je suis incapable de soulever les boîtes, je dois les vider au sol pour ranger les produits dans les étagères. M. Green s'impatiente.

– T'as pas encore fini ? Tu resteras dans le magasin après la fermeture et tu t'occuperas de barrer.

Quand la pharmacie ferme ses portes, à vingt heures, il fait noir. Il me reste encore cinq boîtes à décharger. Après avoir soigneusement fermé la porte à clé, je retourne à la remise. Je n'ai pas travaillé plus de dix minutes quand j'entends un bruit de vitre cassée.

Merde, merde, merde. Le patron dira que c'est de ma faute, que je n'ai pas bien surveillé les environs. Je me dirige vers l'avant.

Deux hommes en cagoule me braquent une arme en plein visage. L'un d'eux m'adresse la parole.

– Tu parles anglais ?

– …

J'ai laissé mon appareil à voix sur une étagère. L'autre intervient.

– Laisse faire, elle est morte de peur. Viens, on va se servir nous-mêmes. Toi, tu bouges pas d'ici, compris ? dit-il en me menaçant. Couche-toi par terre.

Ils me bousculent, mais pas trop fort, heureusement. J'obéis.

Lorsqu'ils reviennent, chargés de narcotiques, le plus petit pianote sur mon appareil avec intérêt. La voix du vendeur de barbecue résonne dans la pharmacie.

– Regarde ça ! Penses-tu qu'on pourrait le vendre cher ? dit-il, alors que lui et son comparse déguerpissent.

J'appelle la police en utilisant le service de relais de la compagnie de téléphone. En attendant son arrivée, je colmate la brèche avec un panneau de bois. J'appelle

M. Green une fois que j'ai déposé le rapport. Il est minuit. Il s'était endormi. Évidemment, il est furieux.

— Comment ça, on a volé la pharmacie? Et t'as rien fait? Amina, je te remercie pour tes services, mais j'ai besoin de quelqu'un qui peut s'occuper de la boîte sans être intimidé aussi facilement. Rentre chez toi et ne reviens pas.

Je laisse tomber le téléphone sur le sol.

Le retour à mon appartement est long. Et humide. Je fais quoi, maintenant? J'ai vendu le dernier de mes joyaux pour m'évader d'Égypte. Je n'ai pas de lettre de recommandation. C'était ma première expérience de travail au Canada.

Je m'assois dans le noir en me séchant, assailli de questions. Pourquoi m'a-t-on ressuscité? Vaut-il la peine de continuer à vivre, ainsi diminué? Autant retourner dans la tombe.

Le téléphone sonne et clignote. Je réponds, sans conviction, par ATS.

— Amina. C'est moi.

Lusine! Ma seule amie. Je lui raconte tout. Elle s'indigne.

— Mais ce n'est pas de ta faute! Quelle histoire! T'inquiète pas, je vais te trouver quelque chose. On a toujours besoin d'aide administrative. Je cherchais justement un étudiant pour m'aider. Tu peux classer des documents?

L'espoir. Lusine me donne rendez-vous le lendemain au Musée royal de l'Ontario, où elle effectue beaucoup de ses recherches.

Il m'est étrange de ressentir de la gratitude. Mais je dois admettre que j'éprouve un grand soulagement.

Suis-je en train de faire l'expérience de l'humilité que je demandais jadis à mes sujets? J'ai honte. Pourtant, un dieu ne doit pas ressentir la honte.

Qu'est-ce qui m'arrive? Et pourquoi?

❖

Il pleut. Je dois encore transporter le séchoir dans ma sacoche. Ma réserve de natron baisse à vue d'œil. Il faudra en commander d'autre en ligne.

Si j'avais su, j'aurais choisi une autre destination. J'en étais à mes premiers balbutiements de ressuscité. «Tu verras, c'est beau, le Canada», me disait-on. «Tout le monde est gentil, on accepte les réfugiés à tour de bras…» Un bon jour, je partirai pour le Nevada et je m'enfouirai sous le sable voluptueux de la vallée de la Mort. Là-bas, il y a beaucoup moins de gens armés de pelles qui souhaitent déranger les morts; c'est plus tranquille que chez moi. Il me reste simplement à économiser. À raison d'un dollar par jour, j'y arriverai en 2072, si l'inflation ne gruge pas mes économies. Entre-temps, je surveille les forfaits pour Las Vegas.

Je dois à présent me rendre au musée.

Il est huit heures. Je vis à Scarborough, dans la banlieue intérieure de Toronto. Je devrai prendre l'autobus, puis le métro, pour me rendre au centre-ville. L'enfer. Le parcours de mon quartier de Malvern à la bouche de métro Museum rivalise avec le tribunal des morts présidé par Osiris, Thot, Horus et Anubis. Je préfère presque les serpents et les monstres grouillants du labyrinthe de l'outre-monde aux imbéciles qui

me coincent entre les sièges et les poteaux de l'autobus. Pour me protéger, je me suis acheté une armure
médiévale en plastique sur leschevalierspvc.com.

Sans surprise, on me traite comme si j'étais un
moins que rien. On m'évite du regard, on me parle
très peu. C'est pour ça que je préfère de loin acheter
en ligne plutôt que de braver les commis des magasins.

Je sors du métro indemne, malgré tout. Quelqu'un
me toise et me traite de «tête à serviette». C'est la
troisième fois depuis le début du mois. Plus rarement,
on me crache aux pieds. Un homme m'a hurlé en
plein visage de retourner d'où je venais. J'avoue que
l'idée est tentante. L'Égypte, si changée qu'elle soit,
m'appelle. Je m'ennuie de mon tombeau si chaud,
sec et douillet. Je ne demanderais pas mieux que de
rentrer au bercail.

Le Musée royal de l'Ontario se dresse devant moi
sous la pluie. Cet édifice me mystifie. Je ne comprends
pas l'utilité du cristal géant qui pousse sur l'un de ses
flancs comme une pyramide atteinte d'un cancer à
angles droits. Enfin. Si je décroche l'emploi, on ne me
paiera pas pour expliquer ça.

Lusine m'attend dans le vestibule, en tailleur gris,
les cheveux en chignon. Ses yeux brillent. Elle me
montre le chemin vers son bureau tout en parlant.

– Je viens d'apprendre une nouvelle extraordinaire!
L'université et le musée ont signé un accord pour aider
des archéologues, dont des Canadiens, à retrouver la
momie de Ninetjer qui a été volée en Égypte il y a un
an.

Je dissimule à peine un haut-le-corps. Je gribouille

furieusement dans mon calepin. « Ah ? Connais pas… »

Lusine sourit avec condescendance. J'avoue que ça me tape un peu sur les nerfs. Elle continue avec une voix de professeure.

— Peu de gens connaissent ce pharaon, qui a pourtant régné très longtemps, ce qui constitue un exploit en soi, et ce, à n'importe quel moment de l'Histoire.

Je me rengorge. Lusine est pardonnée.

Elle reprend son explication.

— Ninetjer a été le troisième roi de la IIe dynastie thinite. Il est resté sur le trône entre trente-cinq et quarante-sept ans, selon les spécialistes. Sa tombe a été découverte récemment. Elle est magnifique. Mais des voleurs se sont enfuis avec la momie et plusieurs articles en or et en pierres précieuses qui ont été trouvés dans le sarcophage.

Je griffonne à nouveau. « Quel dommage. »

Le vrai dommage, pour moi, c'est que mes richesses ont duré si peu de temps.

— Absolument. Mais toi et moi, nous allons les aider à tout retrouver. Enfin, je l'espère.

Le patron de Lusine sort la tête de son bureau. C'est un grand homme élancé au dos droit de militaire. Ses traits me paraissent nilotiques. La plaque sur la porte indique : Dr Lamine Touré.

— Bonjour. C'est Amina, n'est-ce pas ?

J'incline la tête. Il sourit chaleureusement.

— Enchanté. Bienvenue dans l'équipe, dit-il, avant de replonger dans ses papiers.

Lusine et moi traversons la galerie de l'Égypte ancienne. Je ne m'habitue pas à la vue des sarcophages souvent défoncés, et surtout pas à celle des défunts, éventrés jusqu'aux os. Lorsqu'on m'a réveillé, je n'ai pas du tout apprécié d'être nu sous les lamentables loques qu'étaient devenues mes bandelettes. J'espère vivement que mes compatriotes ont trouvé le sommeil éternel et qu'ils n'ont pas eu à subir cette humiliation.

Lusine pointe du doigt un suaire, qu'on appelle «cartonnage». Il est remarquablement bien préservé et décoré de dessins de dieux, de créatures protectrices et d'une femme en or. La femme est d'une beauté éblouissante, intemporelle. On l'imaginerait sans peine dans les défilés de mode d'aujourd'hui. Mon cœur chavire à la vue des rayons X de la dépouille. Toute cette splendeur désormais réduite au silence.

– Elle est belle, Djedmaatesankh, non?

Je fais oui de la tête. Je songe à mes épouses officielles et moins officielles, dont on a perdu la trace. Leurs sourires me hantent, parfois.

Sur le cartonnage figure une incantation qui vise à redonner la vie après la mort. Le scribe, étrangement, paraît s'être trompé de hiéroglyphe à un endroit. Est-ce dû à un effet trompe-l'œil créé par un nœud de tissu boursouflé? Il suffirait de trouver le bon symbole et de prononcer la prière à voix haute…

Lusine est en mode conférence.

– C'est extraordinaire, n'est-ce pas, qu'une simple chanteuse puisse obtenir à peu près les mêmes rites funéraires que les pharaons et les prêtres?

Je hausse les épaules. Pas vraiment. Après tout, Kim Kardashian n'est pas la princesse Béatrice, et regardez ce qu'elle dépense. C'était un peu pareil chez nous. Tout le monde cherchait l'éternité, comme aujourd'hui. Seulement, il n'y avait pas d'Internet.

Nous continuons notre visite des lieux. Lusine me présente ici et là à ses collègues de travail. Elle me montre une salle.

– C'est pour la prière. Tu auras ton intimité.

Ah oui, la salât. J'avais complètement oublié. Mon ancien patron se fichait éperdument de mes «besoins religieux» et je n'ai jamais insisté. Je devrai régler mon téléphone pour ne pas oublier les prières de Dhohr à midi et d'Asr l'après-midi. Ça pourrait être commode pour me sécher en paix.

Le bureau où se dirige Lusine est situé au bout d'un long couloir. Des boîtes s'entassent du sol au plafond. Elle peut à peine se frayer un passage jusqu'à son ordinateur.

– Voici ton nouveau royaume, ma chère, dit Lusine en balayant la salle d'un grand geste du bras. Ce sont les résultats des recherches effectuées par le service des cultures mondiales. On y traite de tout, de l'histoire des textiles de Madagascar au site paléoanthropologique de Xiaochangliang. Comme tu vois, nous avons attendu longtemps avant d'embaucher de l'aide. Il nous manque d'espaces de bureau, tant ici qu'à l'université. Normalement, si tout était classé, j'aurais la salle pour moi.

En effet, il y avait du travail pour des années. Je soulève le couvercle d'une boîte étiquetée «déesse minoenne». Les papiers y sont entassés pêle-mêle.

Lusine brandit quelques feuilles où sont inscrits des tableaux.

– Ceci, c'est la grille de codage. Il faut parcourir chaque document pour voir de quoi il s'agit, puis le ranger dans une chemise, par catégorie et par sujet approprié, qui commencent généralement par le lieu étudié. Par exemple, la boîte devant toi relève d'abord de la Crète (donc, la lettre «C»), ensuite de l'Âge de bronze, puis des rites religieux. C'est tout expliqué ici.

Lusine me montre ensuite l'immense salle des archives. Je sursaute en apercevant un crâne sur une étagère. Lusine sourit.

– Elle va pas te manger, je crois. Désolée pour ça, mais certains artéfacts sont en transit. Ils ne restent pas longtemps ici.

Elle se tourne vers un bureau dans un coin.

– Voici ton ordinateur. Vérifie tes courriels. C'est tout installé, tu n'auras qu'à cliquer. Si tu as des questions, tu m'écris ou tu m'appelles. Tous les appareils téléphoniques ont l'ATS. Ça marche?

Je hoche la tête en signe d'assentiment. Lusine repart et me laisse seul avec la poussière des siècles passés.

L'ordinateur est déjà allumé. Je clique sur ma boîte de réception et deux courriels apparaissent à l'écran. Un premier me souhaite la bienvenue et me demande de passer au service des ressources humaines pour y laisser mon numéro d'assurance sociale et pour signer quelques formulaires. L'autre vient d'une femme que je ne connais pas.

«Chère Amina. Je tiens à te signaler que je suis de ton côté. Si tu te fais opprimer par ton mari ou par ton père, je peux t'aider. Tu n'es absolument pas obligée de porter ce costume contraignant pour sortir de chez toi. Je peux t'héberger, te nourrir, te donner les coordonnées d'un bon avocat de droit familial. Tu n'as plus besoin de souffrir. Ta compagne en solidarité, Lise.»

Lise, Lise, Lise. Ah, oui. C'est une des collègues à qui Lusine m'a présentée brièvement. Elle était maquillée avec un goût extraordinaire. Je devine que ses ongles et sa coiffure étaient tout aussi soignés.

Une autre qui veut me libérer. Il est vrai que ça ne doit pas toujours être facile de porter le voile intégral. Cependant, j'avoue que je me trouve souvent plus libre que ces femmes qui s'inquiètent jour et nuit de leur garde-robe, de leur embonpoint, de leurs jambes, de leurs bras, de leur ventre, de leur nez, de leurs cheveux, et de je ne sais quoi d'autre. Il y en a même qui finissent à l'hôpital à cause de leurs régimes excessifs, sans parler des multiples chirurgies superficielles dont les coûts sont inimaginables.

Je tape.

> « Chère Lise. Tu sais combien de temps ça me prend pour me préparer avant de sortir ? Une seconde exactement. Donc, ça va. Bonne libération. Ta compagne en solidarité, Amina. »

Bon. Je retourne à mes moutons, ou plutôt, à ma déesse. Je mets de côté une poignée de chemises et j'attaque une première boîte. J'y découvre les photos d'une statuette en ivoire et en or de la Crête, identifiée comme « Notre-Dame des Sports », probablement parce qu'on a cru qu'il s'agissait d'une acrobate en train de sauter sur le dos d'un taureau en mouvement. Mais je devine que son étrange position n'était pas due à la pratique d'un sport, mais à un châtiment. Les Crétois n'étaient probablement pas des crétins, à l'instar de tellement de gens aujourd'hui qui s'amusent à sauter des falaises ou à se pendre au bout d'élastiques géants, pour le plaisir. Et dire qu'on appelle ça le progrès.

À mon époque, faute d'assurance maladie et d'hôpitaux modernes, on faisait attention de ne pas se casser les os. J'insère les photos avec les documents connexes dans une chemise.

Tous ces papiers sont passionnants. Il m'est difficile de ne pas les lire au complet avant de les ranger. De mon vivant, j'ai appris à lire les hiéroglyphes en diagonale, puisqu'on m'inondait de paperasse officielle. Je mets cette aptitude en pratique en travaillant ici. C'est beaucoup mieux que la pharmacie, même si j'ai perdu le rabais de 25 % sur les produits desséchants.

Mon téléphone me rappelle que c'est l'heure de la prière. Je me dirige vers la salle réservée à cet effet, le séchoir dans mon sac. Je ferme la porte, lève mon voile et profite de l'air chaud qui déferle sur moi si agréablement.

On frappe. La porte s'ouvre légèrement. Je sursaute et je laisse tomber mon séchoir en baissant précipitamment mon voile. C'est le Dr Touré. Je ramasse l'appareil à la hâte, l'éteins et le fourre dans mon sac.

– Je vous prie de m'excuser, mais j'entends du bruit. On dirait un séchoir. Y a-t-il un problème dans la salle ?

Merde. Mes doigts tremblent. Je griffonne sur un bout de papier. « Non, Dr Touré, tout va bien. C'est un disque dur qui s'emballe sur un ordinateur. Je vais l'éteindre. »

Il paraît satisfait de l'explication.

– Merci. Désolé de vous avoir dérangé.

J'entends ses pas qui s'éloignent. Je l'ai échappé belle.

L'après-midi passe très vite. Cependant, j'ai à peine

classé deux boîtes de documents. Lusine vient me chercher à seize heures.

— Comment ça va?

Je montre les boîtes vides et griffonne sur une feuille de papier. «Très bien, je crois.»

D'après tout ce que j'ai lu sur l'art de décrocher et de garder un emploi, il faut toujours se montrer positif.

Lusine affiche un sourire forcé.

— C'est un bon début, Amina. Tu iras sans doute plus vite avec le temps. Ça suffit pour aujourd'hui. J'ai une surprise pour toi.

De sa poche, elle sort un dispositif qui ressemble à celui qu'on m'a volé.

— Nous en avions un en stock. J'ai parlé de ta situation à notre patron et il est allé le chercher. Tiens.

Je le prends avec soulagement. Cette fois, la voix est préréglée sur celle d'une femme. Elle ressemble à celle qui nous dit d'appuyer sur le «un» ou le «deux» lorsqu'on appelle les services publics.

— Merci, chère usine. Lusine.

Lusine sourit, magnanime. Je me sens presque comme un animal de compagnie. Pourtant, elle est mon amie. Ma seule amie.

— De rien. Ça me fait plaisir. Écoute, j'aimerais bien te montrer mon café préféré de Toronto, le Java Bin. C'est à quelques pas de chez moi. Ils torréfient les grains juste avant de servir le café. Tu vas voir comme les baristas sont sympathiques.

Je reste immobile, pas sûr de vouloir sortir à nouveau dans un lieu achalandé. Pourtant, je veux bien lui payer une gâterie, question de lui montrer ma reconnaissance.

– Ça me ferraille. ferait plaisir, annonce la voix de la dame aux numéros.

Les cafés pullulent à Toronto. Biologiques, équitables, verts, végétaliens : on trouve de tout. Le Java Bin est situé près de l'Université de Toronto, sur la rue College, où les étudiants prêtent au quartier un air de bohème et où abondent restos bon marché, stationnements pour vélos, boutiques de vinyles des années 1980, centres de photocopies ouverts vingt-quatre heures sur vingt-quatre, le tout sur fond de murs couverts de graffitis aux couleurs vives. Les épaules de Lusine se détendent. Elle se secoue les cheveux et sourit.

Le Java Bin affiche sur sa devanture une grande mosaïque bleue représentant un lézard entouré de nuages. Dès mon entrée, les conversations ralentissent, les voix s'éteignent. Comme d'habitude, je fais semblant de ne rien remarquer, même s'il devient franchement désagréable de circuler en public. Évidemment, ça n'irait pas vraiment mieux si je me découvrais le visage.

Lusine me prend délicatement par le gant et me présente aux employés derrière le comptoir.

– Je vous présente Amina, qui connaît très bien l'histoire ancienne. C'est une nouvelle collègue au musée.

Ils me saluent en souriant chaleureusement et me souhaitent la bienvenue au café. Je me sens mieux.

Les conversations reprennent autour de nous.

Lusine et moi trouvons une table bistrot minuscule et branlante en fer forgé. Lusine revient avec son café, le pose sur la table chancelante et le renverse aussitôt.

Le liquide se répand partout. Je sens que le tissu de ma burqa me colle à la jambe et je me lève d'un bond.

— Mille pardons!

Lusine se précipite pour m'essuyer. Je lui fais signe de s'éloigner.

— Non, ça vadrouille. va.

Je me précipite vers la salle de bains. Je déteste l'eau, mais je n'ai pas le choix. La flaque de café s'étend de la taille aux pieds. Lusine m'a suivi et apporte un torchon. Elle le passe sous l'eau et commence à frotter mon vêtement. Le tissu est épais, heureusement, et ne laisse rien paraître de mes jambes effritées par les millénaires.

Je sors mon séchoir.

—Tu portes tout le temps ça avec toi? Pourtant, on ne peut même pas te voir les cheveux.

C'est bizarre, en effet, mais je ne peux pas répondre tant que je n'ai pas les mains libres. Cela me donne le temps de songer à une explication pendant que je sèche le tissu.

— J'aime l'air chaud. Ça me rappe. rappelle chez moi.

Lusine paraît approuver l'explication, mais fronce les sourcils.

— Ah, bon. Tu ne peux pas te servir des séchoirs dans les toilettes publiques?

Là, je dois réfléchir. Généralement, il me faut un séchoir à portée de main lorsque je suis loin d'une salle de bains, mais ça paraîtrait bizarre de dire ça.

— Le débit d'air n'est pas toujours assez pissant. puissant. Ou assez chaud.

En sortant de la salle de toilettes, j'entends un hurlement.

C'est le chauffeur de taxi de l'autre nuit, qui vient tout juste d'entrer dans le café. Son regard passe de Lusine à moi. Il me montre du doigt en sautant d'un pied à l'autre.

— C'est une momie! C'est un monstre!

Il s'enfuit du café en criant.

Je tremble de terreur.

De son côté, Lusine éclate de rire. Elle se reprend, l'air coupable.

— Oh, ma chère, je suis désolée. Je me moque absolument pas de toi. Mais qu'est-ce qui est arrivé après que j'ai quitté le taxi?

Je tape.

— Il m'a arraché le voilà. voile quand j'ai refusé de le suivre chez lui. J'ai une affection coût. cutanée qui me dessèche la peau et m'a déformé le village. le visage. Ce n'est pas joli. J'en ai honte. C'était humiliant.

Ma compagne s'emporte.

— C'est inacceptable! Il faut absolument le dénoncer à la compagnie!

Je secoue la tête.

— Je ne veux pas revivre ce qui s'est pissé. passé.

— Oh. Bien sûr, je comprends. Ma pauvre Amina.

Nous nous quittons à l'entrée du café. Il est dix-neuf heures et l'achalandage du métro aura diminué, au moins. En arrivant à la maison, je me dis que je serai désormais trop occupé pour sortir après le travail.

Je décide d'écouter les nouvelles avant d'entrer en transe. On y parle de la momie volée. Je ressens vivement l'intrusion. À mon époque, il n'y avait pas de tabloïdes pour tout raconter sur la vie des pharaons. Quiconque aurait osé me pourchasser pendant que j'étais en train de me promener sur les bords du Nil, ou de manger des amandes, aurait fini pendu par les orteils au-dessus d'un fossé rempli d'aspics affamés.

Merde! On montre ma photo. En effet, on avait déjà enlevé une partie des bandelettes qui me recouvraient avant que je me sauve. Sacrilège. Les gens qui osent déranger les morts par curiosité n'ont aucune conscience.

Un archéologue apparaît à l'écran. Il s'appelle John Nasr.

– La momie de cet auguste pharaon était vraiment belle et incroyablement bien préservée. C'est une découverte extraordinaire, mais sa disparition est une grande perte pour l'humanité.

Au moins, il y a ça. Le commentaire m'a quelque peu amadoué. Je sombre dans la torpeur.

Le matin suivant, au travail, on ne parle que de ça. Lise est très excitée.

– On offre une récompense de cent mille dollars pour tout renseignement qui aiderait les autorités à retrouver la momie.

Lusine paraît sceptique.

– Ce n'est vraiment pas assez. Elle risque de valoir des millions. Il y a beaucoup de collectionneurs qui seraient prêts à lui construire une chambre forte à atmosphère contrôlée.

En effet, je me sens insulté. C'est du lèse-pharaon. On sous-estime énormément mon importance. D'un autre côté, tant mieux si la modestie de la somme n'attire pas trop les chasseurs de trésors.

L'après-vie continue.

Je classe allègrement les documents qui me tombent

sous la main. Je suggère même des améliorations aux catégories. Lusine est contente de mon travail. Ça me sécurise. Nous échangeons des articles sur les antiquités.

Le Musée royal de l'Ontario a récemment découvert le véritable nom d'une momie qui, jusqu'alors, avait été nommée Justine : c'est Nefret-Mut, qui signifie «la belle de la déesse Mut». Elle chantait et jouait de la musique dans les temples.

Un jour, Lusine me fait part d'une découverte pendant la pause-déjeuner : une incantation, difficile à déchiffrer, a été mise au jour sous la première couche de laque du cercueil de Nefret-Mut. Les chercheurs essaient de déterminer sa signification. Ils pensent qu'elle aurait peut-être servi à plonger la dépouille dans une nuit éternelle. Mais ce serait étonnant, car le réveil dans l'outre-monde est primordial.

Pour ma part, je crois savoir de quoi il s'agit, mais je me garde de le révéler à quiconque. Ce serait impossible à concevoir dans une société où le bonheur est indispensable et où les malheureux sont envoyés en thérapie.

À mon époque, il y avait aussi de ces gens inconsolables qui refusaient les joies de la vie. Mais les prêtres n'étaient pas comme les psychiatres d'aujourd'hui : ils ne cherchaient pas forcément à rendre les gens heureux, mais plutôt à honorer leur nature. Cela revenait parfois à leur souhaiter le repos éternel. On jugeait que c'était plus réaliste et respectueux que de s'acharner à changer les gens à tout prix.

Il est bien possible que Nefret-Mut fût une de ces personnes, malgré son boulot dans le divertissement. Les gens les plus amusants sont souvent les plus tristes.

Je m'approche du cercueil en catimini pour y jeter un coup d'œil. L'incantation est effectivement difficile à déchiffrer. Je ne comprends pas où son auteur voulait en venir. Je donnerais bien ma langue au chat, mais je l'ai déjà donnée à la déesse Hathor.

Lorsque je me retourne, une femme en hijab se dresse devant moi. Elle semble se recueillir. Quelques mèches rebelles rousses encadrent son visage parsemé de taches de rousseur. Elle m'adresse la parole.

– Oum Amina, je travaille à l'université, mais je viens souvent ici. Je voudrais bien apprendre de vous. Vous devez tout connaître du Coran.

Je craignais cette possibilité. Je me suis donc renseigné, tant bien que mal, sur l'Islam, ses origines et son développement. Cette femme est en quête spirituelle. Je devrais l'encourager… Je suis un dieu, après tout, même si je suis fatigué et que mes genoux grincent. Ça me fait du bien qu'on me témoigne du respect.

À ce que j'ai compris, le dieu des musulmans est tout-puissant et sait tout. Il n'a pas besoin d'Internet ou d'armure en plastique. Je ne dois pas le jalouser, cela est indigne de moi. Pourtant, je ne peux m'empêcher de penser qu'il gère la Terre d'une drôle de façon, ou qu'il ne la gère pas du tout. Les gens racontent qu'il est très mystérieux. C'est commode. Je vais me servir de ce concept.

La jeune femme poursuit.

– Je m'appelle désormais Fatima et je désire être prosélyte. Je ne connais pas la religion autant que vous. Vous pourriez m'aider à apprendre?

Ah! Si je lui conte des bêtises, elle ne le saura pas. Ça me soulage.

Je tape.

– Que cherchez-vous à savoir, mon enfer ? mon enfant ?

– Oum Amina, je vois que vous épousez le voile intégral. Est-ce une obligation religieuse ?

Je ne peux quand même pas lui dire que la burqa est le seul vêtement qui me permet de passer inaperçu. Pourtant, je ne veux pas me lancer dans une polémique religieuse. Surtout pas au bureau.

– Non, mon enfant. Cela est un chou. un choix individuel. Je le fais parce que je souhaite me faire juger pour mon esprit, et non pour mon appartement. mon apparence.

Je me trouve malin aujourd'hui.

– Oum Amina, cela est très sage. Que pensez-vous des femmes occidentales et de leur moralité ?

Je trouve les femmes occidentales généralement charmantes, mais fatigantes, par moments. Quant à leur moralité, elle ne peut pas être pire que la mienne.

– Chaque femme doit vivre selon sa concupiscence. conscience. Allah seul peut nous juger.

Mon interlocutrice incline la tête.

– Merci, Oum Amina. Vous avez bien raison. Il est bon de respecter les autres autant qu'on veut se faire respecter. Allah règne sur nous tous.

À ce que j'ai compris, le judaïsme, le christianisme et l'Islam ont les mêmes racines.

– Oui, mon enfant. Nous sommes tous et toutes des gens du Livre, les peupliers. peuples d'Abraham.

Le visage de Fatima devient radieux.

– Oum Amina, cela est vrai ! Nous devons vivre ensemble sous Allah.

– Chaque peuple croit en Allah à sa façon. Les juifs ont étang. été les premiers. Les chrétiens parlent aux statues, mettent l'image de Dieu au plafond, et croient que Dieu a engraissé. engrossé une femme, car ils sont gréco-romains et que cela est leur cul. culture. Nous, musulmans, sommes les derniers à avoir reçu la bine. bénédiction d'Allah.

Fatima renchérit.

– Oui, le Prophète nous a donné la dernière parole d'Allah.

Je ne lui dirai pas que le Divin s'incarne aujourd'hui dans Apple et Linux. L'humain n'a pas beaucoup changé ces derniers millénaires : il a toujours besoin de croire. Mes doigts se fatiguent.

– Nous devons respecter nos aines. aînés dans la foire. dans la foi, mon enfant.

Cette fois, Fatima me fait presque une révérence.

– Oui, Oum Amina. Vous m'avez beaucoup fait réfléchir. Merci, Oum Amina.

Elle gambade le long du couloir et disparaît enfin.

La tension quitte mes épaules.

J'ai peut-être dit des bêtises, mais ça ne devrait pas être très grave. Je me suis exprimé en généralités parfaitement anodines. C'est sans doute parce que je lis les horoscopes, dont les auteurs sont passés maîtres dans cet art.

En revenant vers le bureau de Lusine, j'aperçois le Dʳ Touré accompagné de deux étrangers, un homme et une femme, que je ne vois que de dos. Je les salue, mais ils ne m'aperçoivent pas, trop occupés à discuter.

J'entends mon nom. Ninetjer.

Le reste de la journée passe très lentement.

De retour à mon appartement, je me sèche pendant trois heures. Je navigue sur Internet pour me distraire, muni de ma carte de bibliothèque, et je télécharge des livres électroniques sur l'époque de Nefret-Mut.

Certaines personnes n'aiment pas les livres électroniques. Les livres en papier sont plus beaux, disent-ils. C'est peut-être vrai, mais c'est aussi le cas des papyrus et des hiéroglyphes muraux, qui ne sont pas du tout pratiques en autobus. Je m'en passe, aujourd'hui.

Je déduis de mes recherches que l'incantation du tombeau de Nefret-Mut ne sert pas à la plonger dans la nuit éternelle, mais plutôt à la maintenir dans un état paralytique tout en laissant ses sens en éveil. C'est un sortilège d'amoureux éconduit. Elle a sans doute brisé le cœur d'un puissant sorcier qui a voulu exercer son pouvoir sur elle dans l'au-delà.

⁂

Le lendemain, je croise Lise dans le couloir. Elle me dévisage avec hauteur, en ennemie. Mon voile me pèse sous son regard.

J'ai peut-être cédé trop rapidement à la tentation de lui clouer le bec, comme si j'étais encore pharaon. Je garde la tête baissée et je trottine jusqu'à mes dossiers, où je me réfugie dans la splendeur d'un monde ancien.

Un son me tire de mes pensées. La voix de Lise jaillit, aiguë, de son bureau. Un homme se tient dans le cadre de sa porte. Je reconnais son foulard. C'est celui du chauffeur de taxi.

Il sait.

Sa voix est doucereuse et caressante.

— Une jolie femme comme vous doit avoir de la difficulté à travailler en paix. Moi, par exemple, je suis incapable de m'éloigner de vous.

Le rire de Lise retentit. Les têtes se retournent dans le couloir.

— Il faudra bien aller chercher votre client.

— Oh, il me fait attendre. J'en suis bien content.

— Mais moi, je dois vraiment me remettre au travail.

— Jusqu'à quelle heure, mademoiselle? J'aimerais vous inviter quelque part en fin de journée. Je m'appelle Sammy.

S'il me restait du sang, il figerait.

Sammy se retourne et m'aperçoit. Il me fixe du regard et marmonne en passant.

— Tu m'échapperas pas.

Je songe aux cent mille dollars de récompense…

Je cours voir Lusine.

— Il était ici! Le chauffeur de taxi! Il me veut du mal. Il parlait à Lise et revire. reviendra la chercher ce soir. Je ne veux pas que les gens sachent ce qui s'est passé, ni pourquoi, mais...

Lusine se lève précipitamment de son bureau.

— C'est révoltant! J'avertis les gardiens de sécurité. Ils seront discrets, t'inquiète pas.

Dans le couloir, je croise le Dr Touré et les deux étrangers. Il m'interpelle.

— Amina, je vous présente le Dr Sauvé et la D^{re} Milligan.

Ce sont les archéologues qui ont osé me déterrer. J'ai peine à ne pas les invectiver, et on s'attend à ce que je leur témoigne du respect, en plus.

Je tape. La femme aux numéros est invariablement polie et ne trahit pas ma rage. Je me dis que si tout le monde se servait de cet appareil, on éviterait peut-être 90 % des guerres.

– Enchantée. C'est un honneur de farine. faire la connaissance de si augustes chercheurs.

Je ne tape pas toutes les punitions qu'ils méritent : se faire brûler vifs, puis déchiqueter par quatre chacals et enterrer dans de la bouse de vache gluante.

La D^{re} Milligan répond.

– Merci bien, mais nous ne sommes malheureusement pas assez augustes pour tout comprendre sur ce remarquable Ninetjer. Nous sommes reconnaissants au musée de bien vouloir nous prêter ses ressources. Le Dr Touré est un spécialiste de la IIe dynastie.

Tiens. Mon patron me plaît de plus en plus. Je ne résiste pas à la tentation de répondre.

– En effet, c'était une époque extradition. extraordinaire. Ninetjer était le roi des rois. Il a su protéine. protéger son royaume contre les agressions pendant de très longues années.

Le Dr Sauvé paraît surpris. Cela m'agace.

– Vous paraissez beaucoup vous intéresser à lui, madame. Vous voilà donc employée au bon endroit.

Je l'espère.

Nous nous quittons en toute courtoisie.

Je dois me diriger vers la salle de prière, mais il est hors de question de me sécher là. J'attends deux minutes, je sors de la salle, puis de l'édifice, à la recherche d'une salle de bains qui me conviendra.

J'en trouve une dans un café de la rue Bloor. Je prends quinze minutes pour me sécher, et puisqu'il n'y a qu'une toilette, j'entends frapper à plusieurs reprises. Pressé par les coups, je remets mon séchoir dans ma sacoche et je sors à moitié sec.

Quatre femmes font la queue devant la porte. Elles font la grimace dès qu'elles me voient. Une d'entre elles me lance une question.

– Ça t'arrive souvent de prendre tout ce temps-là? Tu faisais quoi?

Le propriétaire m'adresse la parole de derrière le comptoir.

– La toilette est réservée à la clientèle. Vous n'avez rien commandé. Je ne veux plus vous revoir ici.

Une femme blonde et bien mise se lève de sa table et interpelle le propriétaire.

– Je lui achète un café. Veuillez ne pas lui parler de cette façon.

J'incline la tête, exprimant ma reconnaissance, mais aussi mon refus.

– Je vous remercie, mais je ne peux boire. C'est interdit. Je jeune. jeûne.

Elle paraît surprise.

– Ah? Je croyais que le Ramadan était dans deux mois.

Merde. Je dois penser à autre chose.

– C'est pour des raisons médicales.

La femme a l'air désolée.

– Pardon. Vous êtes malade, en plus.

Elle fouille dans son sac.

– Tenez, madame. Voici ma carte de visite. Je connais des avocats, si jamais vous en avez besoin.

Je lis: Léa Kanak, Comité des relations interculturelles, Université de Toronto. Le café est sans doute un point de rencontre.

Je la remercie de mes doigts et je retourne au bureau.

À la fin de la journée, nous nous saluons tous en

quittant l'édifice, sauf Lise, qui reste dans son bureau. J'ai presque envie de la prendre en pitié. Presque. Pas tout à fait.

À la sortie, j'aperçois Sammy sur le trottoir. Merde. Il me crache aux pieds lorsque je le croise. Du coin de l'œil, je vois Lise sortir du musée, les épaules affaissées. Son visage s'éclaire de joie quand le chauffeur lui fait signe. Merde merde merde. Ce dernier me montre du doigt comme je descends l'escalier. Lise fait une grimace, me jette un regard étrange avant de s'éloigner avec son compagnon.

J'aimerais les suivre, mais je n'arriverai jamais à me dissimuler avec mon accoutrement. Je rentre chez moi.

La transe m'échappe. Je passe la nuit à naviguer en ligne et à tenter de me souvenir des imprécations que les prêtres utilisaient contre ceux qui contestaient mon hégémonie. Leur magie était puissante, après tout, car mon règne fut long.

Frustré par mes recherches infructueuses, je lis les nouvelles. On y parle de technologies d'espionnage. Ça me rappelle ces dispositifs, dans les films, que l'on plante dans les pots de fleurs, à l'arrière des téléviseurs et sur les gens pour savoir ce qu'ils racontent.

Tiens, c'est une excellente idée!

Je cherche en ligne. Voilà! Dispositif d'écoute clandestine, livraison en vingt-quatre heures ou moins, partout au Canada. J'en commande trois.

⁜

Les dispositifs sont si petits que je dois faire attention de ne pas les perdre.

Où les planter, cependant, et comment? Je dresse mentalement la liste des habitudes de Lise. Ses chaussures. Voilà! Elle enfile toujours ses escarpins noirs en arrivant au travail. Elle doit les laisser dans son placard.

Le matin venu, je me rends au bureau plus tôt que d'habitude et j'observe le couloir à la dérobade. Il n'y a personne. Je m'introduis dans le bureau de Lise, ouvre le placard et fixe un dispositif d'écoute sous la boucle de l'escarpin droit. Et de un.

J'écoute le son du micro dans mon téléphone intelligent. Je fais semblant d'écouter de la musique, en gigotant un peu pour la vraisemblance. J'entends quelques ricanements sur mon passage. Je n'en ai que faire.

Lise est ennuyeuse. Elle parle de son chat de race qui lui a coûté deux mille dollars et qui va, elle en est certaine, remporter des prix à sa prochaine compétition; de ses petits-enfants qui sont tous capables de jouer du piano comme Mozart; de son fils avocat qui vient de s'acheter une copropriété au pied de la rue Bay, directement sur le lac Ontario, rien de moins, un endroit magnifique avec un restaurant exclusif.

Mon écoute est interrompue par Fatima, qui me tape sur l'épaule timidement.

– Oum Amina, je voudrais vous présenter le Compagnon Daniel. C'est un homme très progressiste à qui j'ai parlé de vous. Il connaît bien les trois religions d'Abraham.

Ah, non! Il ne manquait plus que ça. Un homme de la sorte devinera tout de suite mon manque de connaissances véritables.

Daniel est un jeune homme barbu et bien mis, qui

porte un jean et une veste de haute couture. Il ajuste souvent ses lunettes de la main gauche.

– Oum Amina, la Compagne Fatima voulait que j'entende moi-même les fruits de votre sagesse.

– On me flatte beaucoup trop. Je ne souhaite que la paix sur Terre.

En réalité, je n'ai pour toute ambition que la paix au bureau. C'est déjà beaucoup demander. Peut-être trop…

Le jeune homme reprend la parole.

– Vous avez parlé de nous comme étant les peuples d'Abraham. Comme l'a commandé Jésus, qui est aussi un des prophètes de l'Islam, nous devons nous aimer les uns les autres. Vous faites écho à une pensée qui me préoccupe depuis longtemps. Je crois que la promesse faite à Abraham est aujourd'hui réalité: sa descendance est aussi nombreuse que les grains de sable sur la plage. La moitié de la population de la Terre connaît Allah aujourd'hui.

Bravo pour Allah. De mon côté, je n'avais que mon peuple autour de moi. Je m'en contentais.

– Oui, c'est très impressionnant, dit la femme aux numéros pour moi.

Daniel sourit.

– Je voulais vous inviter à ma maison de prière. C'est un temple, une église et une mosquée à la fois. Vous avez beaucoup à partager avec nous.

Je me sens pris au piège.

– C'est très gentil, mais je ne peux pas me libérer. Mais j'apprécie l'invitation. Là, je dois reprendre mon travail.

Le Compagnon Daniel incline la tête avant de s'éloigner avec Fatima sur ces mots:

– Bien sûr, Oum Amina. Je comprends tout à fait. Notre porte est toujours ouverte. C'est la Maison Ibrahim, à Scarborough.

Mon dispositif d'écoute rallumé, j'écoute Lise proférer quelques banalités de plus. Le Dr Touré l'accroche pour discuter de ses recherches. Ils parlent de l'incantation retrouvée sur le cercueil de Nefret-Mut. Lise a réussi à la traduire. Elle la prononce même correctement. J'avoue que cela m'étonne. Ma rancune m'a poussé à la juger bête.

Le Dr Touré parti, Lise reçoit l'appel d'une collègue. J'écoute attentivement, distraite de mes dossiers.

– Dis, le gars d'hier, il avait l'air de vouloir te revoir?

Lise rit doucement.

– Tu veux dire Sammy? Ouais, mais on lui a interdit d'entrer dans le musée.

– Ah bon? Pourquoi?

– Les gardiens ne voulaient pas lui dire. J'ai appris que quelqu'un avait formulé une plainte contre lui. Je sais pas qui. C'est certainement Amina.

– Amina? Mais pourquoi? Elle le connaît?

– Sammy l'a déjà eue comme cliente. À ce qu'il dit, elle a été mécontente du service. Elle est partie en se plaignant et n'a pas laissé de pourboire. Elle a même menacé de le dénoncer pour harcèlement.

– Vraiment? Je l'aurais jamais cru.

– C'est une sainte-nitouche. Elle se croit meilleure que nous. Je gage qu'elle nous prend pour des putes.

– Quelle idée! On n'est pas des réprimées, tout simplement.

– Fais attention. Elle est capable de n'importe quoi.

– Tu vas le revoir?

– Je le vois ce soir. Il m'emmène au Café Victoria.

– Oh. C'est beau, ce restaurant.

– Il a du goût. J'avoue que ça me plaît!

Je fulmine, les poings crispés. Cet homme mérite de se faire manger les yeux par des scarabées et d'être forcé à courir un marathon les pieds coupés. Quant à Lise, je crois que je la ferais emmurer vivante.

Le Café Victoria. Je fais une recherche. C'est le restaurant du King Edward. Il a de l'argent, ce chauffeur… ou plutôt, il compte en gagner grâce à moi.

Je veux à tout prix m'y rendre avant eux.

Les rues sont bloquées à la circulation. D'innombrables boyaux et câbles sortent de camions stationnés près du restaurant. Il est difficile de circuler à cause de la foule.

Un passant s'exclame.

– C'est quoi, cette histoire?!

Son interlocuteur hausse les épaules.

– C'est Brant Pittock qui tourne son dernier film. On en a pour des heures à attendre.

– Brant Pittock? Vraiment? Il est rasé? Ses cheveux sont courts ou longs?

– Aucune idée. Il reste au King Edward et il n'est pas encore sorti.

Une femme leur adresse la parole.

– J'attends depuis trois heures, moi. Je craque pour ce gars-là. J'attendrai toute la nuit s'il le faut.

Un passant lui lance une question.

– C'est un film intéressant, au moins?

– Tous ses films sont intéressants, voyons! Celui-ci est une réinterprétation du roman de Dostoïevski sur sa vie dans les prisons de Sibérie, mais l'action se passe au XXIIe siècle, avec des robots et tout. J'ai entendu dire qu'on avait mis la tête préservée de Poutine dans le scénario…

Je me fous de Brant Pittock et de la tête à Poutine. Ma priorité est de me frayer un chemin vers le restaurant. La foule est dense. Ce n'est pas rassurant. Puisque je ne peux pas dire « pardon » et que je ne peux pas jouer des coudes, il faut que j'attende les rares ouvertures qui se présentent. Cela me retarde énormément. D'après l'horloge sur l'édifice devant moi, il est déjà vingt heures.

Je ressens un choc. Un jeune homme m'a coupé la route et voilà ma main gauche qui vole dans les airs. Par malchance, l'appareil d'écoute qu'elle tenait tombe au sol avant d'être piétiné par la foule.

Un bon samaritain, habillé d'une veste de sécurité fluorescente, récupère mon membre arraché.

– J'ai votre gant, madame !

Il fronce les sourcils lorsqu'il se rend compte que le gant n'est pas vide. Je le lui arrache des mains et le mets dans mon sac, avant d'être happé par la foule.

Lorsque je réussis enfin à entrer dans le Café Victoria, je constate que Lise et Sammy ne sont pas là. Ils sont sûrement déjà partis. Merde. De toute façon, sans micro, je n'aurais pas pu écouter leur conversation.

Au moins, j'ai toujours mes deux pieds. Je rentre chez moi, bredouille, pour me recoller.

Ce soir, chacun de mes 4 769 ans me pèse sur les genoux, les coudes, les hanches. Je me déplace bien plus difficilement que lorsque j'étais vivant. Je soulève mon voile et me regarde dans le miroir. Ce rictus. Cette peau desséchée qui me répugne. Voilà tout ce qui reste de mon corps d'homme musclé et orgueilleux. Je commandais mon armée d'une voix tonitruante. J'ai célébré mon anniversaire de règne toute la nuit auprès de vingt-cinq danseuses, une pour chaque année. De mon sexe, il ne reste aujourd'hui qu'un lambeau. Je ne fêterai plus. Pourquoi émerger de la nuit des temps si je ne peux plus m'amuser?

Vivement que je retrouve les sables de la vallée de la Mort. Le désert est l'oasis que je recherche et qui me hante. Il faudra que je m'y rende plus tôt que prévu, coûte que coûte. Il ne me reste plus que quelques centaines de dollars à économiser pour m'acheter le billet qui m'amènera le repos.

✢

Le lendemain, Lise ne tarde pas à se confier à sa collègue.

— Pour un chauffeur de taxi, il s'intéresse énormément à l'Égypte ancienne, sais-tu!

— Ah oui?

— Il m'a posé toutes sortes de questions sur Ninetjer. Il voulait vraiment savoir s'il y avait eu des progrès dans nos recherches.

— C'est un sujet populaire, je crois.

— Oui, mais...

Tout à coup, le silence... Oui, mais quoi?

J'aperçois mon dispositif sur le plancher du couloir. Il s'est sans doute détaché. Heureusement, le motif du tapis le camoufle. Je jette un coup d'œil furtif aux alentours avant de le récupérer. Il est brisé. Quelle malchance! Il ne m'en reste plus qu'un.

Un brouhaha provient de l'entrée. J'entends une

multitude de voix. Celle du Dr Touré s'élève au-dessus des autres.

– Ça va prendre du temps? Nous avons tous du travail à faire!

Une voix que j'ai déjà entendue quelque part lui répond.

– Je comprends, Dr Touré, mais les séquences du musée dans notre film vous feront une très bonne publicité. Je vous promets que nous tournerons le plus vite possible.

C'est l'homme qui m'a sauvé la main. Je l'aperçois, vêtu de la même veste fluorescente qu'hier.

Lise sort le nez du bureau.

– Qu'est-ce que c'est?

Le Dr Touré lui répond d'un ton agacé.

– Brant Pittock a décidé de tourner ici des séquences de je ne sais quel film. La momie de Ninetjer intéresse Hollywood.

Les yeux ronds comme des billes, Lise se précipite dans le couloir.

– Oh! Brant Pittock! Je l'adore! C'est extraordinaire! Il est où? Je veux son autographe!

Le gardien de sécurité l'interrompt.

– Madame, il faudra attendre la fin du tournage. M. Pittock rencontrera les membres du personnel à ce moment-là pour les remercier d'avoir si gracieusement accepté d'interrompre leur travail.

Je commence à me foutre beaucoup moins de Brant Pittock. Autographes. Ça me donne des idées, les autographes. On en met partout, à ce que j'ai compris : non seulement sur les papiers, photos et livres, mais aussi sur les parties du corps, les objets.

Objets.

La boutique de souvenirs du musée. On y vend toutes sortes de colifichets et de reproductions de l'Égypte ancienne.

Lise adore son presse-papier à motif de sarcophage. Elle utilise une tasse à café qui affiche plusieurs hiéroglyphes proclamant la divinité de Toutankhamon.

Je cherche sur les étalages un objet creux et facile à dédicacer, qui se porte sur soi en toutes circonstances. Les agendas sont faciles à signer, mais pas très portatifs. Les porte-monnaie en similicuir sont difficiles à autographier…

J'aperçois enfin un porte-clés en forme de papyrus partiellement déroulé, aux bords décorés de têtes d'Anubis. Sa surface est assez large pour accueillir une signature. C'est parfait. J'en achète un. Je prends aussi un porte-monnaie et je me dirige vers le gardien à veste fluo.

D'une main, je tape le plus soigneusement possible sur son épaule. Mon autre main, celle qui est mal recollée, tient un sac contenant mes trophées. Ma liberté en dépend.

– Je vous prix. prie d'accepter ce petit geste de reçu. reconnaissance.

Le porte-monnaie est décoré de danseuses du temple qui gigotent de profil, les seins nus, les hanches ceintes d'un tissu diaphane.

Je sors le porte-clés, le lui remets, et m'explique.

– Celui-ci est à singe. signer, pour ma collègue Lise, celle qui a voulu l'auto. l'autographe. Elle m'a rendez-vous. rendu service et je veux lui faire plus. plaisir mais je ne veux pas qu'elle le sacoche. sache. SVP, le remettre à M. protocole. Pittock pour qu'il dise que cela vient de lui.

Le gardien me fait un clin d'œil.

– C'est compris, madame. Et merci pour le joli cadeau.

À la fin de la journée, Lise se précipite sur Brant Pittock.

– J'ai vu tous vos films! Votre zombie à conscience torturée est la meilleure interprétation du genre que j'ai eu l'honneur de voir de toute ma vie. Vous êtes un des grands du cinéma mondial.

L'homme a du charme, il faut dire. Débordant d'assurance, le geste économe et décidé, la voix ferme et précise, on dirait presque un pharaon.

– Tout le plaisir est pour moi. Ma carrière n'existe pas sans le public, sans les gens comme vous. Si vous le permettez, j'aimerais signer ce porte-clés pour vous témoigner ma reconnaissance. Vous êtes?…

Lise se pâme devant la breloque.

– Mais c'est très bien pensé! Votre sensibilité égale votre beauté, et c'est beaucoup dire! Moi, c'est Lise. Lise Beaupré.

Après Lise, c'est le tour de Fatima. En m'éloignant, je la vois parler avec animation à la vedette de cinéma. Elle souhaite sans doute répandre la parole de son dieu. Je n'envie pas ce Pittock.

Enfin, le bureau se vide. J'enfile mon casque d'écoute et je prends mon temps avant de retourner chez moi, puisque le métro est moins bondé en soirée.

En attendant que la voix de Lise se manifeste, je fais du lèche-vitrines. J'avoue que je ne vois pas comment les gens réussissent à s'imaginer dans les vêtements que portent les mannequins des vitrines de la rue Bloor. Non seulement ils sont deux fois plus minces que la moyenne des gens ici, mais ils n'ont ni tête, ni pieds, ni mains, et leur peau est grise. Je pourrais me recycler comme mannequin. Ça me ferait une troisième carrière.

Dans la rue, quelques piétons profitent de la paralysie de l'heure de pointe pour traverser quand bon leur semble et pour se faufiler entre les voitures entassées pare-chocs à pare-chocs. Les cyclistes fusent comme des bolides. Tous ces gens travaillent aux mêmes heures et traversent la ville en même temps. On préfère, parce que tout le monde le fait, gaspiller l'essence, empoisonner l'air et rendre les gens malheureux. La liberté épouvante. La méfiance et le désir de surveiller ce que font ces esclaves – ou plutôt, ces employés, car je dois me rappeler la nuance, même si les gens agissent souvent comme s'ils n'avaient aucun choix dans la vie – prennent toujours le dessus.

La voix de Lise caquette enfin dans mes oreilles.

– Allô. Ça va? Imagine ce qui m'est arrivé.

Sammy répond après le long résumé que lui fait Lise de son après-midi.

– T'as parlé à Brant Pittock en personne? C'est extraordinaire! Je t'envie!

Je ne peux m'empêcher de secouer la tête. Sammy a déjà tout deviné du caractère de son interlocutrice.

– Il m'a fait un cadeau spécial. Regarde.

– Magnifique! Il a compris que t'es une femme remarquable.

Si mon estomac n'était pas déjà dans un pot sous la

surveillance du dieu-chacal Douamoutef, je crois que j'en vomirais mes entrailles.

Lise renchérit.

– Il s'est beaucoup intéressé à mes recherches.

Tiens, un mensonge.

La voix de Sammy trahit l'anxiété.

– Lui as-tu fait part de tes découvertes sur le cercueil de Nefret-Mut?

Lise lui répond que non.

L'intérêt du chauffeur m'inquiète.

La voix de Céline Dion envahit mon casque, et je n'entends plus rien de leur conversation.

❖

Le lendemain, j'apprends que Sammy doit aider sa sœur qui sort de l'hôpital. Cela me donne environ une semaine de répit. Enfin, un peu de tranquillité. J'en profite pour me rattraper au travail, car j'ai pris du retard.

Un matin, Lise se dit déçue de Brant Pittock. Il a fait les manchettes parce qu'on l'a vu porter un serretête inhabituel, orné d'un symbole de poisson, d'une étoile de David et d'un croissant de lune. Il explique qu'il a reçu ce cadeau des Enfants d'Abraham et qu'il trouve leurs idées intéressantes, «très *cool*», même. Lise n'est pas du même avis.

Tiens, on interviewe le Compagnon Daniel. Si les propos de Brant Pittock attirent les foules autant que sa présence, la Maison Ibrahim risque de déborder bientôt. Tant mieux. Le jeune homme sera trop occupé pour me poser des questions. J'espère que Fatima est une grande admiratrice de Pittock.

❖

Dans mon bureau, je rêve aux sables chauds du Sud-Ouest américain. Je n'entends plus rien du côté de Lise depuis quelques jours. Elle s'est probablement débarrassée de son porte-clés.

Sammy sera bientôt de retour. Je n'ai toujours pas amassé l'argent nécessaire pour acheter mon billet d'avion pour Las Vegas.

J'aurai bientôt d'autres chats à fouetter. La voix du D\ :sup:`r` Touré résonne dans le couloir.

– C'est une honte! Vous n'avez aucun motif!

J'entends Lusine renchérir.

– Amina est une amie. Je la connais bien. Vous faites erreur sur la personne!

Une voix d'homme lui répond.

– Je suis désolé, mais vous devez vous conformer à la loi sur la protection du Canada contre les terroristes.

Le D\ :sup:`r` Touré proteste.

– Mais de quoi parlez-vous? Amina n'a absolument rien fait. C'est une employée exemplaire, et très douce, par ailleurs.

L'agent refuse de céder.

– Les apparences peuvent être trompeuses. On ne sait jamais vraiment à qui on a affaire, surtout par les temps qui courent.

Merde. Qu'est-ce que c'est que cette histoire de terroristes? Je frôle les murs en essayant d'éviter qu'on me voie. J'aperçois des gens portant l'uniforme de la Gendarmerie royale du Canada.

Mais qu'est-ce que j'ai bien pu faire pour qu'on me soupçonne de la sorte? Je ne veux même pas rester au Canada.

Je me dirige le plus discrètement possible vers l'escalier en effaçant à la hâte l'appli d'écoute clandestine de mon téléphone intelligent.

Peine perdue. Voilà Lise qui claironne mon nom.

– Tiens, Amina! On te cherche, tu sais.

Les policiers m'aperçoivent. Lise esquisse un sourire malin. Est-ce elle qui a mis ces hommes sur ma piste?

Un policier émerge du couloir en tenant Fatima. Celle-ci balbutie de colère.

– Les Enfants d'Abraham ne sont pas des terroristes!

Merde de merde et merdique de merde emmerdante. Le Compagnon Daniel.

Lise se précipite pour allumer la radio. Le bulletin fait état des soupçons qui pèsent sur la Maison Ibrahim, à savoir qu'elle manœuvrerait secrètement pour convertir les chrétiens et les pousser à s'engager dans des causes intégristes. Le journaliste interviewe un imam, qui explique que le Compagnon Daniel n'est même pas un musulman. Selon un politologue invité, la position des Enfants d'Abraham pourrait inciter les Occidentaux à s'opposer aux bombardements américains du Waziristan et d'autres régions abritant des terroristes. On accuse le Compagnon Daniel de menacer la sécurité nord-américaine en prêchant la paix.

Ma demande d'asile, bien entendu, me déclare

ressortissante du Waziristan. À l'époque, ça me paraissait génial. Selon la Convention des Nations Unies relative au statut des réfugiés, quiconque fuit la guerre a une raison légitime de demander l'asile.

Le ministre de la Sécurité publique en rajoute.

– Nous avons reçu une demande d'information de la CIA au sujet des agissements de certaines personnalités hollywoodiennes en sol canadien…

Brant Pittock et son putain de serre-tête. Bravo.

L'avocate du Compagnon Daniel rétorque sur les ondes.

– Mon client ne souhaite que l'harmonie et la bonne entente entre les religions d'Abraham, et non la guerre. Les allégations formulées contre lui sont fausses. Le gouvernement canadien ne doit pas céder aux exigences de la CIA.

On interviewe ensuite une spécialiste des relations interculturelles, Léa Kanak. La femme du café de l'autre jour.

– Ce mouvement devrait nous rappeler qu'il existe des modérés de tous côtés qui préfèrent le rapprochement à l'envenimement des relations entre les communautés.

La prise de son suivante laisse entendre une foule en colère.

– Arrêtez les bombardements! Libérez le Compagnon Daniel! Vive les Enfants d'Abraham!

Je signale aux agents de la GRC que je me rends. On me passe les menottes. Sous mon armure de plastique, je crains une autre désarticulation.

Lusine sort de son bureau et s'approche de moi.

– Amina, je viens d'appeler mon avocat. Nous irons te voir au poste. Courage, mon amie. Je t'aime beaucoup, tu sais.

Cela m'émeut. Je lui envoie un baiser.

Un policier me demande de le suivre. Au moins, il a la courtoisie de ne pas me toucher.

Nous roulons en silence. Je regarde défiler lentement les rues et les autoroutes de Toronto, terre d'asile devenue prison. Nous nous rendons à un bureau près de l'aéroport.

L'édifice, morne et bas, est fait de briques brun clair et de ciment blanc. Au pied de l'affiche annonçant la GRC, un petit parterre de fleurs rouges et blanches fleurit timidement.

Lusine et un homme recouvert d'une kippa m'attendent à l'intérieur.

L'homme m'adresse la parole.

– Madame Walid. Enchanté. Je suis maître Aaron Cohen. Cela me fera plaisir de vous aider. Je vous rappelle que vous avez le droit de garder le silence et de faire respecter vos croyances. Si vous ne voulez pas vous dévoiler devant les policiers masculins, par exemple, nous pouvons demander la présence d'une femme.

Une femme. Cela me donne une idée. Je n'ai pas le choix. Je tape.

– Est-ce que je peux demander à Lusine de m'idem. m'identifier ?

Maître Cohen me regarde, puis se tourne vers Lusine.

– Normalement, cette tâche revient à la police.

Cependant, si vous y tenez, je peux essayer d'arranger ça. Je reviens.

Lusine a les larmes aux yeux.

– Chère Amina. Je suis tellement désolée. Cette situation me rappelle Orwell : la paix c'est la terreur, la guerre la sécurité. Aaron est profondément indigné. Il veut s'occuper du cas bénévolement.

J'exprime ma reconnaissance.

L'avocat revient. Si Lusine veut se faire assermenter pour attester de mon identité, la GRC est prête au compromis.

Nous entrons dans une salle hermétique. On y éteint les caméras. C'est le moment de savoir si Lusine peut m'aimer tel que je suis.

Je tape.

– Ce sera un choc pour toi de me voir.

Lusine sourit.

– Amina, je suis parfaitement capable d'accepter ton affection cutanée. Je ne suis pas un chauffeur de taxi hanté par des superstitions.

– Ce n'était pas une superbe. superstition.

– Qu'est-ce que tu veux dire ?

– Je suis le pharaon Ninetjer.

– Pardon ?

Je ne réponds pas.

Lusine poursuit.

– Tu m'inquiètes, Amina. As-tu souvent ce genre de pensées ? Il faut en parler. Je connais de bons médecins.

Je secoue la tête.

– Il faut absolument te faire examiner avant de poursuivre l'enquête. Laisse-moi appeler un médecin.

Je dépose mon appareil. Je lève mon voile.

Lusine, interdite, s'assoit abruptement, les yeux écarquillés.

Elle reste immobile pendant ce qui me semble être une éternité. Puis, lentement, elle se rapproche de moi et m'examine le visage : mes dents, ma peau, ce qui me reste du nez, des yeux, des cheveux.

– Oh !

Elle parcourt mon corps d'un regard minutieux, observe mes bras et mes jambes décharnées, ma cavité thoracique.

– Vous êtes vraiment bien préservé. C'est magnifique.

Je me sens réduit à l'état d'artéfact. C'est profondément déconcertant. Où est mon amie ?

Puis, je me rappelle que j'ai menti, qu'elle ne me connaît pas, qu'elle n'aurait jamais pu me connaître.

Je suis seul, à la merci de sa curiosité scientifique. Me voilà un dieu devenu bête de foire.

Lusine me regarde droit dans ce qui reste de mes yeux.

– Mais comment ? Pourquoi ?

J'achève sa pensée.

– Pourquoi suis-je revenu ? Je ne le sais absolution. absolument pas. Peut-être que les archéologues ont trouvé une incantation sur le sarcophage et qu'ils l'ont prononcée tout haut, cordialement. correctement, sans en mesurer les conséquences.

Je lui fais part de mes recherches sur le cartonnage de Djedmaatesankh. De l'erreur à corriger. Elle est tout ouïe et prend mes précisions en note.

Le cœur lourd, je continue.

– Si je le pouvais, je retournerais dans les sables de mon

dessert. désert natal. Mais ce n'est pas possible. Je veux partir pour le Nevada. Là-bas, il n'y a pas autant de gènes. de gens armés de pelles prêts à déranger le sommet. sommeil des morts.

Lusine éclate de rire, puis se couvre la bouche et rougit.

— Pardonnez-moi.

Quelqu'un frappe à la porte, lourdement.

— M'aideras-tu ?

Elle fait signe que oui.

Déjà, on ouvre. Lusine m'aide à remettre ma burqa à la hâte.

Une fois la déclaration de Lusine consignée, un gendarme me demande de le suivre. Maître Cohen nous emboîte le pas.

Il nous mène dans une salle sans fenêtres, qui ne ressemble en rien aux pièces d'interrogatoire que l'on voit dans les films. Trois fauteuils dépareillés et capitonnés de faux velours sont disposés autour d'une table. Aaron Cohen reste debout. Le gendarme me fait signe de m'asseoir.

— Madame Walid, nous voulons simplement vous poser quelques questions.

— Vous n'avez pas à répondre. Vous n'avez rien fait, dit mon avocat.

Je réponds, lentement.

— Je n'ai rien à cacher.

Le gendarme est courtois, sans être trop amical.

— Madame Walid, vous connaissez le Compagnon Daniel ?

— Je l'ai rencontré une seule fois.

— Quel a été le sujet de votre conversation ?

– Nous avons parlé de généralités, de la ressemblance des trop. trois religions d'Abraham. J'ai des amis de toutes les cri. croyances.

Je ne précise pas qu'ils sont tous des amis virtuels. Sauf Lusine.

– Vous a-t-il demandé de recruter d'autres croyants à sa cause?

– Pas du tout. Il m'a invitée à sa maison de prière.

– Quelle maison?

– Je crois qu'il a dit qu'elle s'appelle la Maison Ibrahim.

– Où est-elle?

– Il a dit qu'elle était à Scarborough.

– Scarborough?

– Oui.

– Où à Scarborough?

Je sens la moutarde me monter aux vestiges du nez.

– Je ne sais pas.

Le gendarme consulte ses papiers. Il lève la tête.

– Vous avez fait une demande d'asile, n'est-ce pas?

– Oui.

– Sur quelles bases?

Je répète la même histoire que j'ai racontée à la frontière. Le Waziristan est une région assiégée. J'y ai perdu mon mari et mes enfants. On a bombardé ma maison et mon commerce. Je n'avais plus rien. On m'a parlé du Canada. Je suis venue.

– Vous êtes arrivée directement au Canada?

– Oui.

– Pourquoi n'êtes-vous pas passée par l'ambassade canadienne au Pakistan?

Imbéciles. J'explique que ce n'est pas toujours commode – ou même possible – de demander l'asile à partir d'une ambassade. Je n'ai pas eu le temps. Je craignais pour ma vie et j'ai fui sur un bateau en partance pour le Canada. On m'a dit que je pourrais y trouver l'asile.

Le gendarme écrit soigneusement dans son calepin. Il hoche la tête en écrivant.

– Bien. Madame Walid, je vous remercie d'être venue nous parler.

Ah bon? Avais-je le choix?

– J'espère avoir répondu à toutou. toutes vos questions.

On me raccompagne à la sortie.

Maître Cohen paraît satisfait.

– Je crois que la GRC n'a aucun motif contre vous. Si jamais on vous harcèle, ou s'il y a des conséquences imprévues à la suite de l'interrogatoire, n'hésitez pas à me demander d'entamer des poursuites.

– Je suis reconnu. reconnaissante de votre appui, mais je crois qu'en effet, c'est fini. Je désire la pois. paix.

Et un billet vers Las Vegas.

Lusine me ramène au bureau dans sa voiture. Elle paraît toujours abasourdie.

– Alors, ce chauffeur de taxi…

– Avait raison. Il m'agaçait. J'ai levé mon voile pour l'apprêter. l'apeurer.

Elle pouffe de rire.

– Je comprends, mais ce qu'il cherche à faire n'est quand même pas drôle!

– Il veut la récompense, l'usinage. Lusine. Il est prêt à tout.

– Il ne peut quand même pas vous faire de mal. Cela vous abîmerait. Il risque de se faire arrêter pour vandalisme.

– Je crains qu'il ait trouvé autre chose.

– Mais quoi? Il ne peut pas vous empoisonner. À moins d'utiliser le curare?

– Je ne sais pas. Il a l'air sûr de lui. Et il rôde autour de Lise. Il n'y a pas moyen de l'arrêter à l'extérieur du beurre. bureau.

Nous entrons au bureau en silence. Mes collègues jettent des coups d'œil à la dérobade. Les conversations s'arrêtent sur mon passage.

Je me réfugie dans mes archives.

⁕

En rentrant chez moi, le soir, je crois apercevoir partout des hommes aux regards cachés sous des chapeaux mous qui me suivent jusqu'au métro.

Je change de trajet, me dirigeant vers Spadina, puis au sud, en direction du Chinatown.

Encore des hommes aux chapeaux mous.

Il est facile, ici, de se fondre dans les foules, de se faufiler entre les gens, de s'esquiver au fond des boutiques aux comptoirs débordants de babioles colorées où sont inscrits d'innombrables idéogrammes. Je me frôle contre une rangée de lanternes de papier vert aux bordures dorées et fais semblant d'étudier des statuettes de Bouddha riant sur une étagère.

Un homme au chapeau mou pénètre dans la boutique.

Je cherche une issue. Voilà une porte arrière entrouverte, derrière laquelle fume un employé. Je m'y précipite en tapant.

– Partir. Pardi. Pardon.

Plus loin, dans la ruelle déserte, des ordures entassées de part et d'autre entravent mon chemin. Je longe le mur et je disparais comme j'aperçois le bras de l'homme au chapeau surgir du cadre de porte.

Je saute dans un tramway. Ils sont nombreux à cette heure de la journée. Je m'engouffre ensuite dans le métro. Le trajet jusque chez moi est un des plus longs que j'ai jamais vécus.

Je ne me sens plus en sécurité nulle part. Lusine voudrait sans doute m'aider, mais elle est peut-être aussi sous surveillance… Elle m'a défendu, a témoigné en ma faveur. Je ne peux lui demander d'en faire plus pour moi.

Maison Ibrahim, Maison Ibrahim… je cherche en ligne. Elle est sur la rue McCowan, près de Lawrence, aux environs d'un parc et d'un hôpital. Les gens qui me suivent ne peuvent quand même pas surveiller tous les fidèles.

Je compose le numéro.

— Vous avez rejoint la Maison Ibrahim, foyer des Enfants d'Abraham. Que la paix soit avec vous. Laissez-nous un message…

Merde.

Par ATS, je leur demande de me rappeler, leur dis que c'est urgent, que j'ai besoin d'aide.

Une heure plus tard, mon téléphone sonne. C'est le Compagnon Daniel.

— Amina. J'ai parlé de ta situation à quelques fidèles. Tu connais déjà Léa. Elle est prête à t'héberger. Viens nous retrouver. Plusieurs femmes ici ont revêtu des burqas blanches. Nous t'en donnerons une et tu pourras partir avec Léa en même temps que six autres femmes. Cela déjouera les efforts de la CIA.

La CIA? Je croyais que les chapeaux mous étaient des agents de la GRC.

La Maison n'est qu'à un trajet d'autobus de chez moi. En me rendant à l'arrêt, je croise plusieurs garages et concessionnaires d'automobiles usagées sur lesquels semble tomber une sempiternelle poussière graisseuse. Les magasins de prêts sur gages, d'articles à un dollar, de meubles d'occasion et les restaurants-minute abondent. Les affiches sont écrites en toutes les langues : mandarin, ourdou, pachtoune, arabe, tagalog, malais. On me remarque moins ici.

Je débarque à l'arrêt après l'hôpital, tel qu'indiqué par le Compagnon Daniel. La Maison Ibrahim est située entre le Lucky Dollar Palace et un restaurant chinois, dans un triste bloc de commerces.

Le Compagnon Daniel m'accueille chaleureusement.

– C'est assez modeste ici, mais grâce à l'appui généreux de Brant Pittock, nous construirons bientôt notre propre édifice près des quartiers généraux du Festival du film de Toronto.

Sur le mur, une affiche rudimentaire montre un temple sur lequel un minaret coiffe une voûte gothique dotée d'une croix.

La salle de prière est grande et carrée, avec un autel devant des rangées de sièges en vinyle. Plusieurs femmes en burqa blanche se parlent entre elles. J'aperçois Léa qui se dirige vers moi en souriant, une burqa de la même couleur dans les bras.

– Tiens, Amina. Je suis heureuse de pouvoir t'aider.

Je la remercie et je pars vers les toilettes pour l'enfiler. La salle est au fond, dans une sorte de couloir. L'endroit est désert.

Lorsque je sors, une surprise désagréable m'attend à la porte.

Sammy.

Nous sommes seuls dans ce couloir mal éclairé. Il faut que je rejoigne les autres. Je tente de le contourner, mais il marmonne quelque chose entre les dents.

L'incantation du sarcophage de Nefret-Mut.

Merde.

✢

J'ai perdu connaissance. Me voilà éveillé, étendu, dans ce qui me semble être une caisse de verre. Je suis nu. Il m'est impossible de bouger. On dirait que j'ai été cloué sur place. Ce plafond. C'est le musée.

J'entends une voix.

— Monsieur Lamar, vous aurez votre chèque très bientôt. Oui, je vous rappellerai. J'ai un autre appel à prendre. À bientôt.

C'est le Dr Sauvé.

— Allô oui. La momie est en bon état. C'est un miracle. Elle était enroulée dans un simple voile. Nous devrons tout de même rapiécer une main et des doigts. Celui qui les a recollés était un amateur de la pire espèce.

Amateur? Je vais t'en faire, des amateurs. D'un autre côté, on me fera une chirurgie plastique raffinée. Si j'étais libre, ce serait parfait.

L'archéologue poursuit sa conversation.

— J'ai averti le Dr Touré, qui a bien voulu nous prêter une salle de travail. Il est un peu tard. Je commencerai l'examen demain, qui comprendra des radiographies et une IRM. La dissection? Non, je ne veux pas prendre ce risque.

C'est au moins ça.

– Un bulletin ? Oui, on m'a interviewé au moins dix minutes. J'allume la radio, alors. Oui, au revoir.

« Ici Radio-Canada. Grande découverte aujourd'hui : un chauffeur de taxi de Toronto a trouvé la momie du pharaon Ninetjer dans un édifice abandonné de Scarborough et a averti les autorités. »

On interviewe Sammy.

« Je déposais un client à son bureau. J'ai remarqué, dans la ruelle, un grand paquet blanc ficelé qui paraissait étrange. Avec tous ces terroristes, de nos jours, on sait jamais. Je suis allé voir ce que c'était. »

J'entends maintenant le Dr Sauvé.

« Monsieur Lamar nous a apporté la momie personnellement. Les dommages auraient pu être plus graves, donc nous sommes très satisfaits. »

Le journaliste reprend.

« Les policiers sont sur les lieux de la découverte pour trouver des indices qui mèneront aux voleurs. Entre-temps, le pharaon Ninetjer est sous bonne garde au Musée royal de l'Ontario. »

Si je n'étais pas moi-même un dieu, je prierais pour qu'on me vienne en aide.

J'entends des bruits de papiers, le claquement d'un fermoir. Le Dr Sauvé éteint la lumière, ferme la porte à clé et s'éloigne d'un pas lourd.

Au moins, ici, le taux d'humidité est contrôlé. Je suis soulagé de ne pas être obligé de me servir du séchoir.

Je me laisse glisser en transe, puisqu'il n'y a rien d'autre à faire.

Le grincement de la porte me tire de ma torpeur. Quelqu'un allume la lumière.

– O Ninetjer. J'espère prononcer correctement l'incantation dont vous m'avez parlé à la GRC. Si les archéologues ont pu vous éveiller une fois, espérons que je puisse faire de même à nouveau.

Lusine. Je la vois se pencher sur mon cercueil de verre, se recueillant comme pour une prière. Elle tient une feuille de papier et récite les hiéroglyphes anciens, un par un. Sans faute.

Je me sens libéré. Je remue d'abord les orteils, puis les genoux, et enfin le corps entier.

Lusine pousse une exclamation.

– Ça fonctionne!

Cependant, pas moyen d'ouvrir le couvercle. Elle n'a pas la clé.

Des pas se rapprochent.

– Qui est là? Les bureaux sont fermés. Ah, madame Lusine. Vous avez voulu voir la momie tout de suite? Je peux?

Lusine garde tout son sang-froid.

– Bien sûr, Ramon. Tu n'es que le troisième à la voir. Même la Dʳᵉ Milligan ne l'a pas encore examinée.

L'homme sourit d'une oreille à l'autre. Il est vêtu d'un pantalon noir et d'une chemise bleue qui porte son nom: Ramon Luis.

– C'est quelque chose, non? Il a presque cinq mille ans, ce pharaon. Il reste pas grand-chose après tout ce temps-là, pas vrai?

Lusine reste imperturbable.

– En effet, c'est extraordinaire.

Le regard effronté de Ramon me dévore. J'ai peine à cacher mon indignation. Je maudis en silence mon inclination à m'amuser auprès des danseuses plutôt que d'étudier les mauvais sorts.

– Bon. Il faut que je reprenne le travail. Les couloirs vont pas se nettoyer tout seuls.

Il s'éloigne et Lusine soupire.

– J'ai peur de vous endommager en fracassant le verre. Nous devons attendre. Pouvez-vous rester immobile jusqu'à ce qu'une occasion de vous secourir se présente?

Je fais oui de la tête.

– Bien. Je vais me renseigner sur les va-et-vient des archéologues. Peut-être que je pourrais les inviter à déjeuner avec le Dr Touré. Je trouverai une raison pour quitter la table et revenir ici pendant qu'ils sont au restaurant.

J'aimerais mieux ne pas être nu devant Lusine, même si je n'ai plus de sexe ni d'entrailles. Je lui envoie un baiser tant bien que mal, cependant.

Elle sourit d'un air maternel.

❖

Les archéologues se sont donné rendez-vous tôt le matin. On m'examine avec un grand respect. On me recolle très doucement les doigts et la main gauche. Cela fait presque l'effet d'un séjour à une station thermale, mais sans eau ni vapeur.

La D^{re} Milligan enregistre ses observations dans un appareil gros comme deux doigts. Il aurait fallu un papyrus long comme un sarcophage pour qu'un scribe y consigne toutes ces notes.

«La momie N765 est extrêmement bien préservée pour son âge. Fait remarquable, l'IRM a révélé les restes du cerveau préservé dans la tête, alors que généralement, celui-ci est extirpé et jeté, car les Anciens croyaient qu'il n'avait aucune valeur.»

Mon cerveau. Est-ce à cause de lui que j'ai pu revenir à la vie, contrairement à tant de mes pairs de l'Antiquité? Je songe à mes organes lavés avec du vin de palme aux épices grillées, perdus quelque part au fond du désert dans leurs canopes de terre cuite à l'image des quatre fils d'Horus.

J'entends la voix de Lusine.

— Désolée de vous interrompre, mais le Dr Touré et moi souhaitons vous inviter au restaurant du musée ce midi. Nous aimerions célébrer le retour de la momie.

Le Dr Sauvé répond.

— Ça me ferait plaisir. Toi, Annie?

— Oui, tout à fait.

— Nous vous attendrons en bas à midi, donc, confirme Lusine.

— C'est parfait.

À l'heure convenue, les archéologues quittent la salle en fermant la porte à clé. J'attends, fébrile, dans le noir.

Quelques minutes plus tard, Lusine pénètre dans la pièce en coup de vent. Elle m'aide à descendre de la table, délicatement, et à enfiler ma burqa bleue, qu'elle a pris soin d'apporter.

— Vite, il faut sortir de la pièce! Léa nous attend dans sa voiture. Elle s'est portée volontaire pour vous sortir du pays. Je lui ai dit qu'Amina était menacée par la CIA.

Excellent! Je m'efforce de me dépêcher sans trébucher pour ne pas perdre mes pieds.

— Au bureau, j'ai dit aux gens que vous aviez le rhume, mais que vous reviendriez peut-être aujourd'hui. Si on nous voit dans le couloir, vous vous êtes rétablie, tout simplement.

Ma sauveuse regarde de part et d'autre de la porte avant de se pointer le nez dehors. La voie est libre.

Tout juste avant de sortir, j'entends un bruit ronronnant.

Merde. La caméra de sécurité du corridor.

Je la montre du doigt. Les yeux écarquillés, Lusine rentre précipitamment dans la pièce. J'aperçois de la colle en vaporisateur. Je saisis une guenille et l'enduis de colle. Lusine prend un balai derrière la porte, y accroche la guenille, et le tend comme une perche vers la caméra. Après plusieurs tentatives ratées, la guenille se fixe enfin à la lentille.

Des bruits de pas énergiques et des voix résonnent au bout du couloir.

— J'ai oublié de refermer le caisson à clé!

Lusine me prend dans ses bras et part à la course vers les toilettes. Essoufflée, elle me dépose au sol devant un lavabo. Puis, elle repart précipitamment.

— Ils m'ont probablement vue… Je dois inventer quelque chose. Je reviens.

Je me réfugie dans une cabine.

La voix de Lusine ne tarde pas à retentir.

— J'ai vu le voleur! Il est entré par la fenêtre. Elle n'était pas bien fermée! Il m'a menacée avec un couteau.

Il a volé la caméra et il est parti avec la momie!

Un branle-bas éclate dans le couloir. J'entends tonner la voix du Dr Touré.

– Appelez la GRC, et tout de suite. Lusine, vous ne bougez pas d'ici s'il vous plaît. Nous aurons besoin de votre déposition.

– Certainement. Je vais seulement me rafraîchir un peu. Je suis très émue.

Elle entre dans la salle de bains.

– Ô, Ninetjer, il faudra vous rendre tout seul au stationnement. Léa vous y attend. Elle conduit une Ford Flex argentée. C'est une familiale, très longue. Vous ne pourrez pas la manquer.

Je n'ai rien pour lui répondre : ni papier ni appareil. Je l'enlace, tendrement, avant de la quitter pour toujours.

Lusine essuie quelques larmes, et je sors.

Le Dr Touré m'interpelle.

– Amina, vous allez mieux? Vous êtes ici depuis longtemps? Avez-vous vu ce qui s'est passé?

Je secoue la tête. Il me laisse partir.

Je me hâte vers le stationnement le plus proche.

En effet, la Ford Flex est immanquable, d'autant plus que de nombreuses voitures klaxonnent autour d'elle pour qu'elle laisse la place. Je me hâte tant bien que mal vers la voiture. Léa m'accueille avec soulagement.

– Amina! Tu es saine et sauve. Quelle aventure! Il faudra tout me raconter.

Je mets la ceinture de sécurité et nous démarrons au son des injures et des imprécations.

En cours de route, Léa me questionne, mais

s'aperçoit que je suis incapable de lui répondre. Elle parle donc à ma place.

– Ta collègue m'a tout expliqué. C'est infâme. Je ne savais pas que tu avais demandé le statut de réfugiée. Ce n'est quand même pas de ta faute si tu viens du Waziristan. Au moins, nous savons que le Canada refuse d'extrader les suspects poursuivis par la CIA au pays, mais que ses agents viennent ici pour te prendre de force, c'est le comble. Je comprends que tu es en danger. Nous allons traverser la frontière. Je t'explique mon plan.

Ça m'inquiète. Cependant, j'aime encore moins la seule autre option.

– Il faudra te mettre dans le coffre avant d'arriver à la douane. Je prends la route vers Sarnia. Nous traverserons là. C'est beaucoup plus rapide qu'à Windsor et les agents se méfient moins. De Port Huron, tu pourras te rendre à Détroit et aller n'importe où à partir de là. J'ai de l'argent américain pour toi.

Puisque je ne suis pas capable de répondre, elle se tait et allume la radio. Aux nouvelles, on fait état de la momie disparue pour une deuxième fois. Une chercheure, Lusine Beaudoin, a identifié le voleur: il s'agirait, étonnamment, du même individu qui avait rapporté la momie au musée quarante-huit heures auparavant. Les policiers n'ont d'ailleurs pas été en mesure de trouver des indices qui appuieraient sa version des faits, et aucun témoin ne l'aurait vu dans les parages à l'heure à laquelle il affirme avoir découvert la momie. La D^{re} Milligan est perplexe.

«Pourquoi Sammy Lamar aurait-il enlevé la momie

quelques heures après l'avoir remise au musée? Je me perds en conjectures. Nous lançons un appel au public pour aider la police à retrouver cette momie d'une valeur inestimable. »

Léa s'arrête à une station-service déserte sur la route 21, à un quart d'heure de la frontière. Elle sort un sac immense du coffre, ainsi que plusieurs mètres d'isolant en fibre de verre et de toile. Le sac contient de l'équipement de hockey et plusieurs bâtons. Elle déroule l'isolant.

— Lusine m'a expliqué que tu faisais de l'ostéoporose grave. L'isolant te protégera contre les chocs. Les déchirures du sac te permettront de respirer. J'ai dégagé un peu le siège pour faire de l'air entre le coffre et la voiture.

Je m'enroule dans l'isolant, puis dans la toile. Je me couche ensuite dans le sac et Léa me recouvre de bâtons de hockey. Elle me hisse dans le coffre en ahanant. Nous repartons.

Peu après, je sens que la voiture ralentit. J'entends une voix.

— Vous venez d'où, madame?

— Toronto.

— Votre destination?

— Les centres d'achat. Je resterai quelques jours pour pouvoir profiter des ventes.

— Où restez-vous?

— Chez mon amie à Port Huron. Charlene Little.

— Avez-vous des armes à feu, de l'alcool, de la drogue?

— Non.

— Avez-vous autre chose?

– Oui. De l'équipement de hockey que je rapporte à mon amie pour l'équipe de son mari.

– Ouvrez le coffre, s'il vous plaît.

J'entends le déclic et je tremble. La supercherie me paraît soudain trop évidente.

Le garde-frontière défait la glissière. Il fouille dans les bâtons. Il déroule la toile pour y trouver d'autres bâtons. Ça me chatouille. Je ne dois pas me tortiller. Il s'arrête.

– Veuillez sortir de la voiture, madame.

J'entends la porte s'ouvrir et se fermer.

– Suivez-moi, madame.

Je me sens exposé, malgré les couches d'isolant et de toile qui me recouvrent. Le coffre reste ouvert au vent.

Il commence à pleuvoir.

Merde.

Je n'ai pas de séchoir. Je sens que mes membres deviennent pâteux.

Après ce qui me semble une éternité, des pas reviennent en direction de la voiture. Le douanier reprend la parole.

– Désolé, madame, mais nous sommes aux aguets depuis midi. Votre identité a bien été vérifiée. Vous pouvez partir.

Léa le remercie et ferme le coffre.

Nous arrivons bientôt à Port Huron. Léa me libère discrètement de ma cachette avant de me déposer à la gare.

– Ma chère Amina. Je te souhaite tout le bonheur du monde. Voici ton argent. Fais-y très attention.

Elle me donne une sacoche. Je l'embrasse délicatement, de la tête et des épaules seulement, et je lui envoie la main quand elle rentre dans sa voiture.

Je me dirige vers les toilettes et le séchoir qui m'y attend. Pas un chat. Ou plutôt, pas une chatte. Je lève mon voile. Ahhhhhhh!

Vingt minutes plus tard, j'achète un billet pour le Nevada.

La vallée de la Mort m'attend.

Je m'y enfouirai comme un enfant qui retrouve le berceau.

FIN

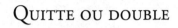

QUITTE OU DOUBLE

Valentin Malenfant mit le pied sur le trottoir et sourit béatement, faisant valoir sa dentition parfaite. Derrière lui, Marie Laplante, une des plus grosses fortunes de la planète, lissa sa jupe. À sa suite venait une star de la mode internationale, un jeune homme aux cheveux noirs et au bronzage parfaits.

Le cliquetis des obturateurs crépita de tous les côtés.

Malenfant avançait sans broncher, son magnifique sourire révélant ses fossettes légendaires. Le jeune mannequin, nu de la taille aux pieds, saluait les photographes comme la reine d'Angleterre.

Les deux hommes qui encadraient la riche industrielle n'étaient que des borobos, bien sûr. Même si les compagnons artificiels n'étaient pas tous fabriqués par la société BoRoBo Inc., tout le monde se servait du nom de la marque. La plupart des gens devinaient le subterfuge à la deuxième ou troisième apparition publique.

Le vrai Valentin Malenfant s'amusait de cet état de fait, mais la mère du mannequin organisa une vigile dans une cathédrale et menaça d'intenter un procès contre Marie Laplante pour avoir fait usage d'une réplique de son fils sans son consentement. Si la milliardaire fut critiquée par les bien-pensants, les tabloïdes en firent néanmoins leurs gorges chaudes pendant des semaines. Certains articles laissèrent même entendre que les vedettes se faisaient passer pour des borobos pour ne pas être tenus responsables de leur mauvaise conduite.

La pelouse méticuleusement entretenue de la société BoRoBo scintillait sous les gouttes d'eau fraîche. Elle avait exactement la teinte de vert émeraude qu'il fallait pour donner une impression de prospérité, songea avec satisfaction le P.-D.G. Éric Gastilloux tandis qu'il montait les marches quatre à quatre. Tout allait pour le mieux dans le meilleur des mondes. Fils d'une vedette de hockey et d'un célèbre mannequin d'origine haïtienne, Gastilloux avait donné naissance, après des études en robotique et en marketing, à une des sociétés affichant la croissance la plus rapide en Amérique du Nord.

En route pour une présentation devant le personnel de vente, il repassa mentalement ses notes, se rappelant les questions posées par les journalistes pendant la dernière conférence de presse. Avait-il pensé à créer BoRoBo à cause de la renommée de son père ? Était-ce une façon détournée de se venger d'un parent qui lui avait donné de l'argent plutôt que de l'amour ? Le fait qu'il porte le nom de sa mère signifiait-il quelque chose en particulier ? Éric repensa à ses réponses : bien qu'il n'avait pas grandi avec son père à la maison, il s'entendait très bien avec lui aujourd'hui. À ce qu'il sache, son célébrissime père, Jonas Scola, ne s'était jamais opposé aux borobos. Il avait même servi de modèle pour un des prototypes. Fin de la discussion. Heureusement, le supplice ne se répéterait pas ici.

Pour Éric, il était difficile d'éviter de laisser paraître toute trace de ressentiment à l'égard de son géniteur. Ce dernier avait quitté la mère d'Éric quand elle était enceinte, et Rachel Gastilloux avait dû obliger le sportif à passer un test de paternité. Il avait payé la pension alimentaire contre son gré, et visité son enfant très occasionnellement, sans démontrer d'attachement particulier. Donc, oui, il cultivait une certaine amertume. Les BoRoBo constituaient néanmoins un excellent produit.

Éric arriva dans la salle de conférence avec plusieurs minutes d'avance. Il fit un signe de tête aux ingénieurs de son et régla les microphones, puis vérifia lui-même les projecteurs. Dans son univers, même les réunions les plus banales étaient organisées le plus méticuleusement du monde.

Une fois sur la scène, il balaya la foule du regard, jeta un coup d'œil à son horloge atomique, puis entama son discours.

— Mesdames et messieurs, bonjour. Je désire souhaiter la bienvenue aux nouveaux membres du personnel de vente et, bien sûr, à ceux et celles d'entre vous qui faites partie de l'équipe depuis longtemps. Aux nouveaux, qui n'ont pas encore fait ma connaissance, je suis très heureux de vous voir aujourd'hui.

Une vague d'applaudissements déferla sur la salle comme un tonnerre. Éric sourit aussi modestement que lui permettait son rôle de héros conquérant.

– Avant de commencer, j'aimerais vous parler d'un aspect clé de BoRoBo Inc. La seule façon de tirer profit des robots humaniformes, c'est de s'assurer qu'ils représentent exactement les vedettes préférées des gens. Autrement, ce genre de robot n'est pas viable économiquement. Or, nous avons largement profité, pour commercialiser nos produits, de la libéralisation graduelle mais inexorable des clauses qui touchent à la cession de l'image dans les contrats de vedettes. BoRoBo est le premier fabricant du monde de compagnons artificiels haut de gamme. Nous détenons 75 % du marché international à l'heure actuelle. Notre croissance est robuste et ne paraît pas sur le point de ralentir. Au contraire de la concurrence, notre taux de comportement défectueux est inférieur à 0,1 %, et nous avons réussi à reproduire des célébrités dans tous les secteurs : les sports, le cinéma, la mode, les films pour adultes, l'actualité en général, la télévision, même les affaires et les sciences. J'ai ouï dire que je serai le suivant.

Quelques sifflements accompagnèrent la remarque. Le fondateur esquissa un large sourire. Tandis qu'il prononçait son discours, le projecteur faisait défiler des images et des statistiques.

– La société a déjà étudié la question d'une série plus abordable, mais je vous annonce aujourd'hui que nous avons tranché. Chaque modèle est un exemplaire à tirage limité et ne peut être vendu qu'à une clientèle de choix. Nous n'investirons jamais le marché de masse. Ce n'est pas ce que nous cherchons. Il ne faut pas inonder la planète de borobos. Nous vendons un fantasme. Il faut le vendre cher.

Le ton de sa voix se fit plus philosophe.

— Dans la vie quotidienne, il est difficile de trouver l'âme sœur. Dans le cas des gens très riches, qui se sentent constamment menacés par les croqueurs de diamants, c'est presque impossible. Nous leur offrons la meilleure solution de rechange possible. Nos borobos sont programmés pour être les compagnons parfaits. Nous ajoutons à un visage et à un corps qu'ils aiment déjà des traits de personnalité assortis aux leurs : les mêmes goûts musicaux, les mêmes valeurs, la même vision du monde. C'est la satisfaction garantie. Le meilleur, c'est qu'il n'y a aucun besoin de mariage, donc de divorce, d'entente prénuptiale ou de pension ; et bien sûr, le BoRoBo ne quitte jamais son maître à moins d'être renvoyé. Il ne se désintéresse jamais, évolue selon les goûts de chacun, peut changer de visage et de corps, et ne meurt jamais. Évidemment, si le client le souhaite, la société peut régler l'âge du BoRoBo pour le faire coïncider avec le sien. Tout a un prix. Nous fournissons véritablement les compagnons idéaux. J'irais jusqu'à dire qu'ils sont meilleurs que les vedettes qui les inspirent.

Un chœur de rires discrets déferla dans la salle.

— Je vois que vous êtes d'accord avec moi sur ce point, dit Éric, dont le sourire s'élargit encore plus.

✢

– Ouh, Valentin, arrête un peu! J'ai mal au ventre tellement t'es drôle!

La blonde festonnée de bijoux et de paillettes miroitantes, et dont le nom échappait à Valentin (était-ce Ginette ou Geneviève?) se tenait les côtes pour illustrer son propos. Elle se tourna vers la vedette de cinéma, dont les cheveux soigneusement coiffés et le manucure trahissaient le souci des apparences, pendant qu'il jetait les dés sur une table rouge cramoisi mal éclairée.

– Mon cher, ces borobos pourront jamais rivaliser avec toi.

Valentin Malenfant lui lança son sourire type, figé de façon à bien montrer sa dentition dispendieuse.

– Pas surprenant que les 'bloïdes croient que je suis sorti avec quinze femmes différentes cette semaine. En toute apparence, c'est bien le cas.

Le bon mot provoqua un chœur de ricanements qui couvrit un instant le cliquetis des dés. Une voix plus sombre interrompit la gaieté générale. Lerenard, le concepteur de décors, suivait son idole Valentin Malenfant depuis plusieurs mois, cherchant à l'impressionner et à émuler son charme malgré sa physionomie de gringalet taciturne.

– Les borobos risquent de rester parmi nous encore longtemps. Ça pourrait avoir des conséquences imprévues, bonnes ou mauvaises. Ils attirent les 'bloïdes loin des vraies vedettes, ce qui vous donne une chance de répit, mais qu'est-ce qui se passera s'ils se comportent mal? C'est trop facile de les confondre avec vous et vous aurez des difficultés à démentir leurs actions. Ça dépend peut-être de la manière dont on voit les choses, mais il y a un risque que ça dépasse les bornes. Qu'est-ce qui arrivera si, par-dessus le marché, on commence à se servir des borobos plutôt que des vedettes pour tourner les films ? Vous allez tout perdre !

– Ils auront jamais notre caractère, et ça, ça fait partie de nos atouts, rétorqua Valentin. On les a conçus pour plaire à leur propriétaire. Une vedette fait pas ça. Pas moi, en tout cas. Les 'bloïdes et leurs lecteurs mourraient d'ennui ! On nous réclamerait à grands cris, je te le promets. Une vedette sans histoire, ça vend rien.

À ces dernières paroles, Valentin secoua les dés, les roula et perdit. Il haussa les épaules. Rien de neuf.

– Un autre revers. Mon tuteur financier va me régler ça demain matin.

⁂

Lili Moreau secoua la tête et se frotta les yeux. Une fois de plus, elle jeta un coup d'œil impatient à la date magique cerclée de rouge sur le calendrier. Une journée de plus et ce sera sa fête, le jour où elle recevra son cadeau de rêve : un borobo de première qualité incarnant son idole, Valentin Malenfant. Le sien sera personnalisé : il aura un peu plus de poil sur la poitrine, des yeux verts, et une belle voix de ténor, en plus des améliorations standards qu'on apportait aux mâles, à l'usine.

Elle voyait déjà arriver le camion vert distinctif de BoRoBo, avec son logo d'UltraQualité. Il y avait des contrefaçons, et si on voulait éviter l'humiliation, il fallait absolument acheter la marque originale :

89

le *nec plus ultra*, mis à l'épreuve dix mille fois sous conditions de choc. Il s'agissait de modèles impossibles à distinguer, sauf de très près, de l'original. La satisfaction était garantie.

Lili regarda de haut les piles de jeans, de jupes, de robes et de blouses à lessiver. La bonne viendrait sous peu pour tout prendre, laver et ranger. Évidemment, une fois qu'elle aurait reçu son propre Val personnalisé, Lili pourrait lui ordonner de ramasser ses petites culottes. Ça serait sexy. Certainement, ça ferait changement des petits amis qu'elle avait eus, qui ne levaient jamais le petit doigt. Ils avaient beau lui dire qu'elle était belle et qu'ils feraient n'importe quoi pour elle, le simple geste de mettre un verre dans le lave-vaisselle aurait été bien plus convaincant que leurs promesses de se jeter dans l'océan ou de grimper les sommets du monde à la moindre occasion pour ses beaux yeux.

Dans l'immédiat, Lili devait appeler son amie Nouredineh, qui organisait son party de fête, pour confirmer son arrivée. L'hôtesse s'intéressait à la robotique. Son Val sur mesure serait le clou de la soirée.

❖

– Comment ça, tu l'as pas ? Je suis riche. Je suis Valentin Malenfant, merde de merde ! Je dois cinq millions de maudits dollars ! Je dois payer. Tu les connais pas, ces gens-là. Y sont pas du genre qu'on fait patienter.

Valentin se tenait devant son conseiller financier en sueur. Les yeux lui sortaient de la tête et une veine palpitait sur son front. Le tout était si inhabituel que son interlocuteur s'agrippait à son bureau, bouche bée. Christophe DesMoines était du genre à se sentir coupable même lorsqu'il ne l'était pas, et n'avait absolument rien fait pour mériter l'opprobre.

– Mmm... monsieur Malenfant...

L'expert financier déglutit, la gorge sèche. Il maudit silencieusement son sort. Ce client n'était pas du tout rentable, vu les ennuis qu'il apportait avec lui comme un oiseau de malheur.

– Vous devez vous rendre compte que vous avez rejeté les cinq derniers scénarios de films et les dix dernières collaborations publicitaires qu'on vous a proposés. Vous versez des pensions alimentaires à vos trois anciennes épouses pour vos quatre enfants. Peu importe le nombre de reportages que les 'bloïdes publient sur vous, vous n'avez pas de revenu.

Le visage de Valentin tournait au pourpre.

– On m'offre des rôles constamment. C'est une question de temps. Et les revenus résiduels ? Je dois en avoir qui arrivent de quelque part, quand même !

Christophe DesMoines répondit la voix teintée de regret, la tête penchée sur ses papiers.

– Je suis désolé, monsieur Malenfant, mais vous avez très peu de revenus résiduels. Vos films sont moins en demande dernièrement. Il n'y a plus assez d'argent pour payer vos dettes.

Valentin Malenfant sortit furibond.

Dans la rue, il fulminait tout haut et frappa une cannette d'un coup de pied violent.

– Où est-ce que je vais trouver cinq millions de dollars, maudit ?

Quelques passants effrayés le fixèrent du regard. Certains sortirent leur téléphone pour filmer la vedette en colère. D'autres prirent leurs jambes à leur cou. Un cha-cha-cha enjoué résonna dans sa poche. Il prit son téléphone, la bouche sèche, immobile sauf pour ses mains, qui tremblaient.

– Allô ?

La voix à l'autre bout était si douce que Valentin dut monter le volume au maximum, l'oreille collée au dispositif.

– Il te reste un jour. Après, la marque Valentin Malenfant sera à notre service et t'aimeras vraiment pas ça.

Et vlan.

Une sueur froide inonda le corps de Valentin. Il était figé sur le trottoir, insensible aux badauds qui l'entouraient. Il se tourna subitement, les yeux brillants, pour s'adresser à une femme d'un certain âge qui le regardait, tête penchée, comme un oiseau confus.

– Ils vont pas me casser les jambes tout de suite, quand même. D'autres options vont se présenter.

Elle l'écouta poliment. Après tout, il était la vedette de *Joe Liberté* I, II et III, et un des hommes les plus populaires sur Internet, même s'il n'avait pas tourné de film depuis plusieurs années ; on projetait partout son hologramme et on rapportait que les borobos à son effigie foisonnaient dans toutes les métropoles.

Valentin poursuivit.

– Je vaux bien plus cher en vie et en santé que blessé ou mort. Y a un seul problème. Ce qu'ils vont me demander de faire, je pourrai jamais en revenir. Je vais leur servir de lessiveuse humaine, mais moi, je pourrai jamais me débarrasser de l'odeur. Et ça sera seulement le début. Je m'en échapperai jamais.

Le sac à la main, la dame regarda Valentin avec bienveillance, comme pour donner conseil à un enfant perdu.

– Monsieur Malenfant, ça peut pas être si pire que ça. Il faut prier le Bon Dieu et faire confiance au pouvoir miraculeux de Jésus-Christ notre Sauveur.

Elle étendit la main pour le rassurer d'une petite tape sur le bras.

Valentin recula comme s'il avait ressenti une vive brûlure. Il détestait se faire toucher par des étrangers, et haïssait tout autant les propos religieux.

– Laissez tomber. Merci quand même, marmonnat-il en s'éclipsant.

Le ciel était de plomb. Il commença à pleuvoir. Sa sauveuse l'interpella de loin.

– Jésus aime tous les pécheurs. Même vous.

Il continua son chemin.

Pleurez, oiseaux de février / Au sinistre frisson des choses, récita-t-il intérieurement, avec amertume.

⁂

Le plateau était déjà bondé, songea Lerenard, irrité. Pourquoi accueillir des visiteurs vu les problèmes actuels? Le réalisateur exigeait des changements à chacun de ses décors. Apparemment, ses intérieurs pour *Prêt à mourir* ne rappelaient pas suffisamment les années 1990 et avaient besoin d'un soupçon de style Navajo du sud-ouest. Les couleurs étaient trop pastel. La liste de critiques s'étendait *ad nauseam*, et des étrangers venaient maintenant les interrompre.

Lerenard jeta un œil sur les intrus. Il eut un

soubresaut, puis s'adressa à une jeune costumière à côté de lui.

– Est-ce que c'est bien Éric Gastilloux avec Jean Moreau? Ces gars-là doivent se partager la moitié de la planète!

La costumière répondit d'un ton fébrile.

– Mon Dieu! Effectivement, Moreau a le doigt dans toutes les industries en essor au pays. On dirait qu'il a un devin parmi ses conseillers. Il a pas manqué une seule occasion profitable, paraît-il. Les borobos font fureur par les temps qui courent. Je gage qu'ils sont ici pour faire des borobos d'Angélique Lamour et de Marlon Sable. Ces deux-là vont être furieux.

Lerenard hocha la tête.

– J'ai entendu dire que Marlon a battu tous les records de projections holographiques après *L'œuf rebelle*. Je trouvais ça difficile à croire, pour un film soporifique au sujet du passage à l'âge adulte d'un homme de la classe ouvrière au XIXe siècle.

– Y a un milliard de femmes qui trouvent ça intéressant, surtout à cause de la poitrine de monsieur Sable! ricana la costumière.

Lerenard haussa les épaules.

– *De gustibus non est disputandum*. Tant qu'on peut faire carrière et que tout le monde soit content.

– Pas tout le monde, chuchota la jeune femme.

La voix rocailleuse de la comédienne principale s'éleva soudain en un crescendo.

– Comment osez-vous laisser entrer ces gens pour qu'ils nous dévisagent comme si nous étions des bêtes de zoo? Comment pouvez-vous profiter de ça et nous laisser sans le sou?

Le producteur, Robert Grugot, était en train de frayer un chemin pour ses invités de marque vers une table bien garnie de saumon fumé, caviar, champagne et fraises juteuses.

– Sans le sou? On te paye un salaire de cinquante millions pour le tournage. Ça devrait te dédommager de la perte des droits liés à la publicité et au marketing, y compris la création de figurines, d'hologrammes et de borobos. C'est une clause standard maintenant, et tu le sais très bien. Selon notre contrat, ton image et tous ses dérivés appartiennent à la compagnie de production. Je peux en faire ce que je veux. Ton avocat connaît la référence : *Films Colin Vison contre Adnan Hollinger*, Cour suprême du Canada.

Angélique Lamour secoua sa longue et considérable chevelure noire, montra ses poings, grogna et retourna vers sa caravane en piaffant. Pendant ce temps, Jean Moreau était plongé dans une grande conversation avec Éric Gastilloux. Feignant l'indifférence, Lerenard écouta attentivement.

– Lili se sent à peine capable d'attendre à demain. C'est le meilleur cadeau que j'aurais pu lui faire. Je sais pas combien d'amoureux elle a eus depuis ses seize ans, et chacun était pire que le précédent. Lui donner Valentin Malenfant – ou encore mieux, un Valentin Malenfant plus jeune, fabriqué sur mesure – c'est la solution parfaite. J'aurai plus à écouter les lamentations de ma fille sur les garçons! T'as toi-même entendu ses discours, à la maison… Mais surtout, adieu les voleurs! Son héritage restera en sécurité jusqu'à ce qu'elle ait la maturité d'exercer un meilleur jugement. À condition qu'elle se fatigue pas de son jouet, évidemment ; mais ça fait déjà plusieurs années qu'elle est en amour avec ce comédien-là. Ça risque de la divertir un bon bout de temps. T'as ma gratitude pour la vie, Éric !

Le son de leurs pas faiblit tandis que Lerenard les observa s'éloigner. Il gardait le numéro de Valentin Malenfant dans sa liste de contacts. La vedette n'était pas difficile à joindre sur son téléphone privé. Sans doute trouverait-il vraiment drôle que la fille d'un milliardaire bien en vue veuille un borobo à son effigie. C'était tout un potin ! Lerenard composa le numéro en souriant.

✥

La pluie s'était transformée en bruine. L'eau ruisselait des cheveux de Valentin, et lui collait le chandail à la peau. Son téléphone sonna de nouveau ; le cha-cha-cha imperturbablement enjoué contrastait avec les tons de gris qui l'entouraient. Il laissa passer l'appel à la boîte vocale, puis écouta le message machinalement.

– Salut, Valentin.

Le ton doucereux de Lerenard lui tapa sur les nerfs encore plus que d'habitude. Il eut l'impulsion de tout effacer. Pourtant, il n'avait rien d'autre à faire que de passer ses messages en revue, songea-t-il. Il s'efforça d'écouter le reste.

– Tu devineras jamais qui est venu sur le plateau aujourd'hui et ce qu'il mijote…

Un borobo. De lui ! Demain… Valentin fustigea intérieurement la jeune milliardaire. *Typique ! T'aurais pas pensé à appeler tes amies pour essayer de me rencontrer en personne. Bien sûr que non. Un robot, c'est tellement mieux. Pas de complications, toujours disponible, toujours obéissant! Quand tu recevras ton borobo…*

Valentin eut le souffle coupé par un espoir soudain. *Un camion de livraison de la société BoRoBo!* Il lui fallait découvrir quand exactement arriverait le camion, et où se trouvait la maison de la richissime héritière.

— Lerenard, t'as déjà fait du piratage informatique, non?

❖

Lili remercia la couturière d'un signe de la main après avoir choisi son modèle. La robe de soirée rouge conviendrait parfaitement à sa fête. Elle répondit à sa mère au téléphone.

— On ira danser après la fête. J'aurai juste à mettre Val dans le placard avec l'aspirateur. Ou je pourrais l'apporter pour épater la galerie. Si je l'ai à temps, je devrais pouvoir le sortir.

Lili entendit presque sa mère lui tirer les oreilles au téléphone.

— Chérie, va pas abîmer ton cadeau à la première occasion. C'est un homme de cinq millions de dollars! Il faut quand même apprécier la valeur de l'argent; il faut pas le gaspiller.

Lili soupira.

— Mais non. Je te promets que je vais m'amuser avec Val tout en en prenant bien soin. Je te le jure!

La voix de sa mère se fit sévère.

– J'espère que oui, jeune femme!

Un bip indiqua un autre appel, et Lili prit congé de sa mère.

– Bonjour. Ici la société BoRoBo. La livraison arrivera dans environ quarante-cinq minutes.

La jeune femme poussa un petit cri de bonheur.

– C'est super! Je vous attends!

❖

– Je… je veux pas perdre mon emploi, balbutia le livreur.

Valentin Malenfant leva la main en un geste rassurant.

– Bien sûr que non. Vous avez rien à craindre. C'est une blague, tout simplement. Vous voyez cet homme-là?

Il montra du doigt Lerenard, équipé d'une caméra empruntée du plateau de *Prêt à mourir*.

– C'est un caméraman de l'émission *Quelle vie!* Personne a jamais été congédié pour avoir participé à l'émission. Je suis hôte invité pour l'épisode, parce que c'est un borobo de moi que vous avez là. On joue un tour à madame Moreau. Rien de sérieux : je prends la place du borobo ; j'entre dans la boîte et vous me livrez chez elle ; le borobo prend le micro et suit Lerenard, que voilà. Pas de peur ni de mal. C'est un petit coup monté de rien. On va tout replacer après, tout le monde s'amusera. Et vous passerez à la télévision!

Le livreur esquissa un sourire.

– C'est vrai que c'est comique.

Il ouvrit la porte et Valentin prit place dans le cageot.

Le camion vert arriva à destination. Valentin Malenfant, dans une boîte, serra les dents pendant qu'il se faisait transporter sans cérémonie jusqu'à l'ascenseur privé menant à l'appartement de Lili Moreau.

Dans le stationnement, le modèle J-1684, doté d'une dentition plus blanche que nature, de poils additionnels, d'une voix de ténor et d'une connaissance encyclopédique de tous les faits divers portant sur le supergroupe de musique populaire les TiGars, restait immobile. Lerenard s'éclaircit la gorge et prépara le borobo à recevoir ses ordres. Ses talents de pirate informatique lui avaient permis de dénicher toutes les informations nécessaires.

— Nom d'utilisateur : Lili Moreau. Mot de passe : XH!mp789*&. Nouveau mot de passe : Malenfant999…

Il répéta ensuite les directives de Valentin.

— Rends-toi au 1544, boulevard Fleury. Voici les clés de ta voiture et de ta maison. Tu feras tout ce qu'on t'ordonnera de faire, en personne ou par téléphone. En cas de conflit, l'homme qui s'appelle Victor aura raison sur tout le monde. Lui, ne le contredis jamais : il croira d'emblée que t'es le vrai Valentin Malenfant. D'ailleurs, laisse personne soupçonner le contraire, compris ? Jusqu'à nouvel ordre. Vas-y.

J-1684 cligna enfin des yeux, prit les clés et démarra la voiture avec le crissement de pneus caractéristique que son modèle avait l'habitude de produire.

❖

Lili courut vers la porte.

— Val, enfin!

Le livreur rougit jusqu'aux oreilles lorsqu'elle ouvrit la porte, à bout de souffle. Elle laissa un pourboire faramineux, constata-t-il, les yeux écarquillés. Il bégaya des remerciements et recula en trébuchant sur le matériel d'emballage, laissant sa cliente admirer son cadeau.

Ainsi, Valentin Malenfant, vedette extraordinaire, se retrouva face à face avec sa nouvelle propriétaire, une héritière milliardaire de vingt et un ans. Elle caracola vers lui et l'embrassa, puis recula en lui agitant les bras en un mouvement d'arc contre nature. Il dut se retenir de toutes ses forces pour ne pas hurler de douleur.

Elle me désarticule déjà. C'était peut-être pas une bonne idée, songea-t-il.

— C'est absolument le meilleur cadeau de toute ma vie! déclara-t-elle.

Elle tapa des mains et le regarda profondément dans les yeux. Puis, elle fronça les sourcils.

— T'as les yeux bleus… J'ai dit que j'en voulais des verts.

Valentin Malenfant sentit une mince pellicule de sueur se former sur son front. Il espéra que cela paraisse d'un naturel ingénieux, viril et attirant.

La jeune héritière roula la manche du comédien et lui déboutonna la chemise. Son torse rasé au laser reluisit sous les lumières du condo. Lili n'était pas contente.

— Pas de poils! J'ai pourtant précisé que je le voulais poilu. Ils se sont trompés, ronchonna-t-elle.

Valentin pencha la tête, espérant qu'il avait l'air aussi soumis qu'un borobo ordinaire.

– Pardonnez-moi, maîtresse. Je ne veux que vous plaire. Ne me renvoyez pas. Je ferai tout en mon pouvoir pour me faire aimer.

Lili fit un geste d'impatience.

– Je peux pas te retourner avant la fête de Nouredineh. T'es mon cavalier. Je suis prise avec toi ce soir. On verra plus tard. Va falloir te modifier, y compris ta voix. Elle devrait sonner beaucoup plus naturelle. Puis j'ai demandé un ténor, comme Dédé des TiGars.

❖

J-1684 arriva au manoir Malenfant, boulevard Fleury. D'une main d'expert sur le volant, il guida la voiture sans heurts dans le garage. Il entra dans la demeure au son du bourdonnement des appareils ménagers comme seul signe de bienvenue. Une fois au salon, il s'assit dans le noir. Il n'avait aucun besoin de lumière pour voir, ni besoin de voir quoi que ce soit : il n'avait pas même la faculté de le désirer.

Le téléphone sonna. Il se souvint des directives qu'il avait reçues et répondit. C'était Lerenard.

– Valentin. Écoute. Prends le téléphone cellulaire dans ta poche de veston et allume-le. Ensuite, vérifie tcs messages. Ton code est le 1-2-3-4-5. C'est pas très sécuritaire, mais au moins c'est simple. Ensuite, tu feras tout ce qu'on te demande.

Il raccrocha.

J-1684 se conforma aux directives. Une voix colérique résonna de la messagerie.

– Monsieur Malenfant, je vois que vous avez choisi de ne pas honorer vos engagements ! Vous comprenez que ça va vous coûter cher. On va vous rendre visite sous peu pour discuter de vos services. Essayez pas de nous échapper!

❖

Lili Moreau courait çà et là, vêtue d'un soutien-gorge et d'une culotte en dentelle noire, l'oreille collée à son téléphone.

– Oui, merci, maman. Il est arrivé… Pas tout à fait. Il a les yeux bleus. Et sa voix est trop basse et un peu mécanique. Mais je sors. Y faudra régler ça plus tard. Il est quand même beau, maman. Il a peut-être l'air un peu vieux, mais il ressemble au vrai… Oui, tu le feras savoir à papa. Ça mérite un rabais.

Elle chercha son jupon partout.

– Je suis certaine que je l'ai pas encore mis au lavage. Val, va voir dans la buanderie. C'est un jupon en dentelle noire, pleine longueur.

Malgré le ton irrité et capricieux de sa voix, Valentin Malenfant savourait le paysage… un peu trop. Les borobos n'avaient sans doute pas d'érections spontanées. La mince couche de sueur réapparut sur son front.

– Oui, Lili. Bien sûr que j'y vais. C'est un plaisir, articula-t-il dans ce qu'il espérait être sa meilleure voix de ténor. Il ne voulait pas se faire envoyer à l'usine.

Valentin trouva le jupon, qui gisait sur le sol. Il miroitait, moulait le tapis langoureusement. Il s'en dégageait un parfum exotique, musqué et très féminin. Son membre viril se durcit davantage.

Composant plus que jamais un sourire innocent, il

prit le jupon et le drapa sur ses bras, en songeant à la torture qui l'attendait s'il ne parvenait pas à s'échapper comme prévu. Son érection disparut et il revint au salon.

– Merci, chéri.

Lili se tortilla pour enfiler son jupon, puis sa robe de soirée rouge. Elle tournoya devant le miroir, lissant le tissu, et s'examina d'un œil critique. Puis, lentement mais d'une main experte, elle se maquilla.

Une fois qu'elle eut terminé, Valentin dut avouer qu'elle était éblouissante. S'il n'avait pas été obligé de jouer les robots, il aurait été fier de se montrer à ses côtés. Même qu'il s'en serait vanté à tous ses amis et aurait bien accueilli les paparazzi qui auraient voulu les prendre en photo, un désir qu'il ressentait très rarement.

Pour le moment, il n'était qu'un gentil compagnon mécanique. Lili l'utiliserait plus tard à d'autres fins. Les borobos servaient habituellement de jouet sexuel, Valentin le savait. Il se sentit rougir de colère et de honte. *Pas tout de suite*, siffla-t-il mentalement à son entrejambe, espérant ardemment que Lili ne se retournerait pas. Il lui fallut toute sa discipline pour garder son sang-froid lorsqu'elle le fixa du regard peu après.

– Faut partir, mon amour. Nouredineh nous attend. Elle s'intéresse beaucoup à toi, alors tu seras un très bon borobo, d'accord?

– Oui, Lili. Bien sûr, Lili, répondit Valentin le plus chaleureusement possible.

Lili le prit par la taille et l'entraîna avec elle.

La maison de Nouredineh était juchée sur une falaise, offrant un panorama spectaculaire. Sur un terrain de plusieurs hectares, on avait planté un verger de pommiers, de pêchers et de poiriers, ainsi que dix jardins de fleurs géométriques qui rappelaient Versailles. Quelques serres ajoutaient à la splendeur du paysage.

À l'intérieur, l'hôtesse avait fait décorer sa vaste demeure pour que le thème de chaque pièce évoque un continent. La fête de Lili commencerait dans le salon africain, puis on passerait aux salons asiatique et européen avant de terminer la soirée dans le salon des Amériques.

Nouredineh les accueillit habillée d'une longue robe bleu royal.

Du coin de l'œil, Valentin regarda Lili et eut envie de lui sourire affectueusement et de passer le bras autour de ses épaules. Il imagina la réaction de la jeune femme. Sa bouche formerait un «O» parfait. Elle lèverait le sourcil. Au mieux, elle trouverait son geste déplacé. Au pis aller, elle soupçonnerait une arnaque. Ça ne serait pas la première fois qu'un humain aurait tenté de passer pour un borobo. L'idée d'être un jouet sexuel pour milliardaire pouvait en séduire plus d'un. Jusqu'à présent, on n'avait jamais tardé à découvrir le pot aux roses. Ainsi, Valentin colla au scénario qu'il s'était donné : adopter une personnalité insipide, ne parler que lorsque Lili lui adressait la parole, sans la lorgner trop, évidemment, et ne pas créer de surprise.

Le souper cinq services se déroula dans la joie. Le gâteau était fastueux et rose, la couleur préférée de Lili.

Nouredineh observait Valentin. Elle se tourna vers Lili.

— Je peux y toucher? Il a l'air tellement vrai. Je sais que la marque a vraiment bonne réputation, mais la vraisemblance est extraordinaire!

– Bien sûr, touches-y!

Valentin sentit ses battements de cœur s'accélérer. Comment éviter d'être découvert? Il songea à ses leçons d'impro, où on devait chercher en quelques secondes des explications à toutes sortes d'absurdités, et ouvrit la bouche en souriant.

– Nous sommes conçus pour avoir la même température corporelle, les mêmes réflexes et la même texture de peau que les humains, articula-t-il.

Nouredineh écarquilla les yeux en le palpant.

– J'ai entendu parler de leur matériau plastiforme avancé, mais j'aurais pas pensé qu'il était d'une qualité pareille. En plus, ils ont même incorporé un pouls, sauf que celui-ci est anormalement fort et rapide... C'est impressionnant.

Elle leva un pan de sa chemise, et fronça les sourcils.

– Mais où est le panneau? Normalement, il devrait être là.

Valentin répondit presque aussitôt.

– Nos panneaux sont complètement invisibles, sauf aux ingénieurs de la compagnie, qui sont les seuls autorisés à y avoir accès.

La jeune ingénieure fit la moue.

– C'est décevant, mais c'est génial quand même. Je comprends qu'on veuille empêcher le sabotage. Chapeau!

Il était temps d'aller danser dans les boîtes de nuit avec Nouredineh et ses copines.

– Val nous accompagne, annonça-t-elle.

Des cris aigus et des rires accueillirent la déclaration.

– Il est fait pour ça! observa Zaina, une des plus aventurières du groupe. On va bien s'amuser.

J-1684 était toujours assis dans le noir. La sonnette de la porte résonna. Il alluma les lumières pour accommoder les humains, et répondit à la porte. Trois hommes vêtus de manière décontractée mais dispendieuse affrontèrent le borobo. L'un d'eux se tint à l'avant, les mains pliées devant lui, la tête penchée d'un côté. Il avait les cheveux roux dégarnis, les yeux bleus, et le visage lugubre. Les deux hommes derrière lui avaient le teint olivâtre. L'un d'eux avait les sourcils broussailleux, lui donnant l'air d'un hibou menaçant. L'autre avait le front ridé et l'air renfrogné. Il s'examinait les ongles.

Le meneur prit la parole.

– Eh bien, Malenfant. Tu nous attendais. Tant mieux. T'as pas essayé de te sauver cette fois. T'apprends à faire attention. Tu me reconnais, sans doute? C'est Victor. Derrière moi, y a Jo et Denis.

Il s'avança davantage, pour que J-1684 recule et le laisse entrer. Les deux autres suivirent, leurs mouvements presque synchronisés, comme s'ils exécutaient un ballet sinistre.

– T'apprendras un peu plus à faire attention, ce soir, poursuivit le rouquin. Tu vas nous aider à organiser un party. Je sais que c'est un peu à la dernière minute, mais mes amis et moi, on a besoin d'un bel endroit propre et gentil que la police soupçonnera jamais. Ça fait vraiment notre affaire, ici. T'as pas à t'inquiéter de rien. On a toute la boisson et la nourriture dont on a besoin. T'as juste à répondre à la porte et à nous aider à servir les invités. Donc, bouge pas. On revient.

Victor tourna les talons et quitta la maison, suivi de ses hommes de main. Une fois qu'ils furent partis, le borobo éteignit les lumières. On l'avait programmé pour qu'il économise l'énergie, puisque c'était à la mode. Cela faisait plus vert.

Il retourna s'asseoir.

❖

Lili et Zaina s'étaient toutes deux déchaussées et tournaient comme des toupies dans leurs robes de soirée élégantes sur la piste de danse du Métropolis, un club Art Nouveau. Copies exactes de ceux du film, des robots argentés étaient disposés le long des murs. C'était le club préféré de Lili. La salle de toilette était une reconstitution d'une bouche de métro parisien. L'effet était décadent, luxueux, et tout indiqué pour une fête de vingt et unième anniversaire.

Malheureusement, songea Valentin, un sourire plâtré sur le visage, l'endroit n'était pas idéal pour permettre à un faux borobo de s'échapper. Le design industriel et stylisé n'offrait aucun recoin où se cacher, la foule était mince, et il n'y avait aucun arbuste ou plante. Il sentit son espoir se ratatiner. Le personnel pouvait-il lui offrir un moyen de s'enfuir? Il surveilla le va-et-vient des employés. Personne ne lui ressemblait, ni même vaguement. Ses épaules s'affaissèrent. Il s'efforça de se tenir bien droit, et Lili l'attira vers la piste, menaçant de lui désarticuler les épaules. Il sourit. *Ça fait pas mal, ça fait pas mal, le plafond est très joli, oh, un tableau intéressant…*

Au moins, il y aurait la nuit auprès de Lili.

Celle-ci s'arrêta soudain de danser à la vue d'un grand homme musclé aux cheveux blonds. Valentin reconnut Adrien Loranger, le meilleur joueur de hockey de la ligue. Entouré de jeunes femmes qui roucoulaient en poussant de petits rires, il leva son verre à Lili d'un air goguenard. Celle-ci se précipita vers la sortie. Nouredineh et Zaina la suivirent, interloquées.

Valentin se tint immobile, incertain. Un borobo suivrait-il sa maîtresse, ou attendrait-il de recevoir un ordre? À peine eut-il le temps de poser la question qu'Adrien Loranger l'empoigna par le bras et l'emmena de force à l'extérieur du club.

– Oublie pas ton jouet sexuel, Lili! Tout le monde en a entendu parler. Pas capable de retenir un homme, alors?

Elle se retourna, les larmes aux yeux, et lui cracha en plein visage. Il s'essuya de la manche et poussa brutalement Valentin vers elle.

– Ça répond à ma question! Tu fais pitié, Lili. Maudite folle… T'as de la chance que j'appelle pas la police.

Il retourna dans le club en coup de vent. Le cliquetis des flashs de téléphones captant des images de l'incident ponctua sa rentrée.

Interloquées, Nouredineh et Zaina dévisagèrent Lili.

– C'était quoi, cette scène? demanda Zaina.

Lili secoua la tête.

– C'est un con, c'est tout.

– Tu veux que je pirate son téléphone et tous ses comptes de réseautage social? C'est facile pour moi, ajouta Zaina d'un sourire narquois.

– Non, ça va.

Le malheureux événement avait ôté à Lili le désir de poursuivre la fête. Ils quittèrent les lieux en silence avant de se séparer. Lili rentra seule avec Valentin.

✤

De retour au condo, Lili s'empara d'un livre après l'autre dans sa bibliothèque et les jeta au sol en hurlant.

— Trou de cul! Con de merde!

Le visage tordu par la fureur, Lili s'adressa à son borobo.

— Tu sais ce qu'il m'a fait? Il m'a violée. J'avais seize ans. Il m'a dit que je l'avais cherché.

Elle s'écroula sur le tapis en sanglotant.

— J'ai eu tellement honte! Je l'adorais, avant. Papa l'admirait! Je l'ai suivi partout comme un petit chien. Un jour, il m'a offert de signer un autographe dans le vestiaire, quand tout le monde était parti.

Lili s'essuya la joue.

— Je me doutais de rien. Stupide! J'ai été tellement stupide! Il m'a dit de raconter à personne ce qui venait d'arriver, sinon j'aurais des problèmes. Je l'ai cru. J'en ai jamais parlé.

Valentin se sentit paralysé. La honte le gagna. Combien de fois avait-il haussé les épaules en entendant parler d'incidents semblables autour des plateaux de tournage? Il ne pouvait détourner les yeux à présent. En regardant pleurer la jeune femme devant lui, le visage trapu et insolent du joueur lui parut de plus en plus révoltant.

Dans un soupir de lassitude, Lili se releva et s'essuya les mains sur sa robe. Elle fixa Valentin.

– Au moins, toi, tu pourras jamais me faire de mal.

Sur ce, elle le rangea en soupirant dans le placard, à côté de l'aspirateur.

– On s'amusera une autre fois. J'ai pas envie, ce soir.

⁘

Victor revint, comme promis, accompagné de ses deux amis et d'un cortège d'assistants portant des caisses de bière, de vin, de vodka et de plusieurs autres alcools. Une copieuse quantité de nourriture suivit : tapas, crevettes, rouleaux de printemps, tourtières, satays, poulet à la king, pâtes, plats chinois et indiens. Les serveurs et serveuses circulaient.

Le meneur jubilait. Il ordonna à J-1684 de se rendre utile. Ce dernier approuva de la tête et obéit promptement, le sourire aux lèvres. Le rouquin pencha la tête, intrigué, puis haussa les épaules.

Une fois la table mise et les invités arrivés, le meneur donna de nouveaux ordres à J-1684.

– Là, il faut amuser la compagnie. Après tout, t'es Valentin Malenfant. Ça fait partie de la soirée. Les gens viennent pas ici seulement pour se cacher. Divertis-les. Sauf que tu ferais mieux de te tenir loin des femmes qui sont en couple. Évidemment, tu serais pas si stupide que ça, hein, Malenfant ?

J-1684 eut l'air perplexe, les yeux écarquillés d'innocence.

– Bien sûr que non. Je suis certain que les dames vont savoir me donner les ordres qu'il faut.

Son interlocuteur ricana.

– C'est vrai qu'y a ça. Je vais garder un œil sur elles

110

de mon côté. Entre-temps, soit le *fun*. Peux-tu chanter ?

– Oui. Je connais toutes les chansons des TiGars.

Le rouquin afficha un grand sourire.

– C'est parfait.

Il se tourna vers l'assemblée.

– J'ai besoin d'un micro, vous autres !

J-1684 entonna les grands succès des TiGars, imitant parfaitement Dédé, le chanteur du groupe.

– *T'es mon grand amour / Pour toujours / Tu me rends fou / Je veux te sauter au cou / Viens dans mes bras / Oh là là, je ne vois que toi...*

Une foule l'entoura rapidement. Deux femmes en particulier, Candi et Sandi, lorgnaient le borobo de Valentin Malenfant en poussant de petits cris d'enthousiasme. Elles étaient habillées de façon presque identique, en jupes de similicuirosuède et t-shirts garnis de similifourrure néon. Les deux étaient fortement maquillées, les yeux ornés de Faucils[MD]. En tapant de leurs pieds chaussés de sandales Choogucci dernier cri, elles lancèrent au borobo des baisers lascifs de leurs Formalèvres[MD].

En réponse à ces stimuli, J-1684 entra en mode « Flirt niveau un : badinage plaisantin », inscrit dans son programme pour imiter le charme de Valentin Malenfant. Il battit des cils à intervalles de 1,2 seconde tandis que sa voix prit des intonations intimes et caressantes, pour faire plus séduisant. Il agita les sourcils et débita un calembour après l'autre.

Les femmes réagirent à coup de rires, de sourires et de petits coups de coude. Les petits coups se firent plus grands. Candi s'indigna visiblement, se retourna et tira Sandi par les cheveux.

– Je l'ai vu la première! s'écria Sandi.

– C'est pas vrai. Juste parce que t'as soupiré avant moi, ça veut pas dire que tu l'as vu d'abord, espèce de chipie! hurla Candi en levant le genou abruptement.

Sandi s'effondra par terre en gémissant.

Victor les sépara avant que le sang se mette à couler.

– Allez, mesdames. C'est un rassemblement paisible, ici. Si vous voulez profiter de notre beau Valentin, faudra le gagner sans verser de sang, dans une vente à l'encan. Votre argent sera consacré à une noble cause!

Candi ricana, privée de l'occasion d'en finir avec sa rivale.

– Ouais. La noble cause, c'est ton compte de banque et rien d'autre.

Le rouquin gloussa.

– Fais ton offre et amuse-toi, ma chère.

Le matin arrivé, Valentin se réveilla courbatu, les traits tirés, mais toujours en vie, dans le placard. Il attendit. Et attendit encore. Pas de Lili. Pas même l'ombre d'une Lili.

Il inspira de la poussière et éternua énergiquement.

Le désespoir le saisit à la gorge, plus encore que les débris et la saleté qui reposaient sur les nombreuses toiles d'araignées de sa nouvelle demeure.

J-1684 tournoyait sur une plateforme créée spécialement pour l'occasion.

– J'entends quatre-vingts mille. Allez, qui dit cent mille? Cent mille pour Valentin Malenfant; une sortie avec l'inimitable Valentin Malenfant, comédien distingué de notre beau pays? Une nuit imbattable, mesdames! Allez, vous pouvez faire mieux que ça!

Les murmures et les petits cris s'élevaient de la foule. Plusieurs mains s'agitèrent.

– Bon! Deux cent mille. Trois cents. Quatre cents...

La plateforme tournoyait encore. Le prix s'éleva jusqu'à cinq cent mille. La voix rauque de Victor tonitrua.

– Qui dit six cent mille? Allons! Non? Bon. Cinq cent mille... Vendu, à la jolie dame en rouge.

Sandi, triomphante, gémit et sautilla de joie. Candi maugréa et brandit le poing. Le rouquin avança vers Candi les bras croisés et le regard menaçant. Elle soupira de déception avant de disparaître dans le décor.

Souriant de toutes ses dents, le meneur donna un coup de maillet retentissant.

– Eh bien, monsieur Malenfant. Vous vous êtes trouvé une cavalière pour la soirée! Ce sera la première, mais pas la dernière, c'est sûr. Aussi bien vous amuser!

Il se tourna vers la foule.

– Merci, mesdames, de votre participation.

La plateforme cessa de bouger et J-1684 en descendit. Sandi le regarda avec approbation et lui tendit le bras. En parfait gentilhomme, il le prit pour l'accompagner.

✤

La porte du placard s'ouvrit en coup de vent. Lili se tenait debout devant lui, la main sur la hanche, vêtue uniquement d'une culotte, les seins ballottant nonchalamment. Les pupilles de Valentin s'élargirent.

– J'ai envie de jouer, déclara l'héritière d'une voix doucereuse.

Elle le prit par les mains, l'attirant avec force. Il trébucha contre elle.

– On va jouer aux Tri-mots, annonça-t-elle.

Il se figea. Merde. Évidemment.

Il se perdit bientôt dans l'univers des mots de trois lettres qu'on épelle avec la lettre W, juxtaposés aux mots de deux lettres formés avec les lettres K ou X empruntés au dialecte ouaréllien du deuxième quadrant de la série *Les étoiles du destin*. Selon les règles de Lili Moreau, cette langue permettait plusieurs variantes orthographiques, qui n'étaient jamais fautives ; elles reflétaient simplement les nuances de la culture ouaréllienne. Voilà.

Lili le battit à plates coutures, bien sûr. Après une demi-heure, elle soupira.

– C'est pas très intéressant si tu perds comme ça ! J'aime bien gagner, mais je m'ennuie.

Lili se mit à bouder. Même ses mamelons avaient l'air de se froncer. Plus elle faisait la moue, plus Valentin voulait prendre l'initiative, quitte à se faire découvrir : sa main avança vers le plateau de jeu, prêt à le renverser.

Patience. Le mot résonna quelque part au fond de son cerveau reptilien, qui dominait de plus en plus. *Patience.*

Lili croisa les bras sur ses jeunes seins pulpeux et nus.

— Je veux faire autre chose.

Elle lui fit les yeux doux et le regarda de haut en bas pendant qu'elle caressait son torse. Elle se lécha les lèvres.

Enfin, songea Valentin.

❖

J-1684 émergea gracieusement de la LamborCarrera en chantonnant, le sourire aux lèvres. Sa propriétaire d'un soir le traîna par le col jusqu'à sa chambre à coucher.

— À genoux, ordonna-t-elle.

J-1684 obéit avec une docilité convaincante. Il faut dire que la société BoRoBo avait grandement amélioré le regard vitreux et machinal que la majorité des clientes avaient détesté chez les humanoïdes de première génération.

Sandi esquissa un petit sourire satisfait.

— Tu péteras pas plus haut que le trou ce soir, hein, Malenfant?

Sa grimace victorieuse révéla ses petites dents blanches et égales. Elle respira plus fort et plus rapidement. Ses yeux brillèrent. Elle le chevaucha.

J-1684 adopta la posture «vulnérable et soumise» si populaire auprès de 96% des clientes milliardaires de type alpha, selon les statistiques.

❖

Âgé de trente-trois ans, Valentin Malenfant s'estimait dans la fleur de l'âge. Il aurait besoin de toutes ses forces à présent. Des ruisseaux de sueur lui coulaient sur le visage et dans le cou. Il se dit avec anxiété que son borobo ne possédait probablement pas de fonction de sudation aussi avancée. Selon ses souvenirs, la plupart des femmes de l'âge de Lili n'avaient pas un appétit sexuel aussi grand. Paniqué par la crainte d'être découvert, il se roulait dans les draps pour se débarrasser de la transpiration entre les accouplements.

Lili ne paraissait pas remarquer la supercherie jusqu'à présent. Il lui sourit le plus artificiellement possible, mais sans exagérer. Les borobos authentiques étaient devenus d'un trop grand naturel pour cela.

Sa partenaire ronronna.

– C'est tellement mieux qu'en vrai! Tu fais tout ce que je veux, pas plus, et rien de ce que je veux pas.

Elle se fit songeuse.

– Ç'a pas été facile, ces dernières années. J'ai tellement eu peur…

Lili passa son doigt sur le torse nu de Valentin, qui ressentit un élan de compassion inattendu pour sa geôlière.

– Je te remets pas dans le placard, ajouta-t-elle. Je sais même pas si je veux que t'ailles te faire régler à l'usine. Je t'aime comme ça.

Valentin dut réprimer un soupir de soulagement, tout en se préparant mentalement à un autre marathon. Et si c'était trop? Il risquait de faire défaut si elle continuait à ce rythme. Pendant que Lili lui tournait le dos pour modifier l'éclairage, il chercha partout une porte de sortie qui n'existait pas. Elle se pencha à nouveau vers lui. Il sourit d'un air détendu et séduisant, comme il l'avait déjà feint mille fois. C'était le rôle de sa vie. Il lui faudrait pourtant une échappatoire, et vite.

J-1684 était de retour au 1544 boulevard Fleury. Les cheveux en bataille et le torse nu, il sortit de la LamborCarrera et entra dans la maison.

Sandi lui avait d'abord crié des injures en lui ordonnant de lui manger la chatte, puis lui avait pissé et chié dessus dans la baignoire, avant de lui commander de se récurer à la brosse et à l'eau froide. Ensuite, elle l'avait poussé dans le dos d'un rire narquois et l'avait sommé de quitter la maison. Il avait cligné des yeux en signe d'assentiment et s'était exécuté sur-le-champ, sans même récupérer sa chemise qui gisait quelque part dans le jardin. Son programme prévoyait une réaction de soumission totale en réponse à tout comportement agressif envers lui. Cela n'avait fait qu'enrager Sandi davantage. Elle lui avait hurlé en plein visage qu'il était un crétin dépassé, une mauviette incapable de se défendre. Incapable de s'indigner devant la colère des humains, le robot avait quitté les lieux sans rien dire…

Victor et ses deux comparses attendaient dans la maison. Ils y avaient établi leur quartier général.

— Salut, Valentin. Comment ça va? Plutôt bien, on dirait! T'as eu toute une soirée, toi.

Le rouquin lui tapa dans le dos en lui faisant un gros clin d'œil et s'esclaffa d'un rire gras.

J-1684 le fixa d'un regard candide.

— Je vais bien. Et vous? Je vais aller dans une chambre.

Victor se mit la main sur la hanche.

— Tu vas rester dans le solarium, sur le divan. Tu vas donner une autre fête, ce soir. On va jouer aux cartes, et toi, tu vas circuler parmi les invités. Faudra discuter affaires, aussi. On aurait besoin de tes services pour, disons, un projet spécial.

J-1684 acquiesça.

– J'y serai.

Victor afficha un large sourire ironique.

– Génial!

⁜

Lili était sortie. Valentin avait vu une liste sur le comptoir et calculait qu'elle serait partie pendant quelques heures. Il soupira d'aise. Il était temps d'établir un plan d'action.

Il appela Lerenard sur l'ordinateur de Lili, en prenant soin de naviguer sur une page privée.

– Il faut que tu me sortes d'ici! Je sais pas combien de temps je peux continuer à la berner.

Le concepteur de décor bafouilla.

– Qu'est-ce que t'avais en tête?

– J'ai besoin de tes conseils, Lerenard. Je suis pris au piège! Elle m'a enfermé dans un placard le soir de sa fête. Je sais pas ce qu'elle va me faire ensuite, vu qu'elle pense toujours que je suis une machine. Ça m'étonne que j'aie encore mes bras! Si jamais elle découvre que je suis pas un robot... Penses-y! Est-ce que tu pourrais faire semblant d'être un livreur? Je sais pas, moi, n'importe quoi.

Lerenard mit quelques secondes à réfléchir, puis répondit dans un élan d'inspiration.

– Je l'ai! Je vais lui dire que je viens de la société BoRoBo. Je peux me dénicher un uniforme, c'est pas

118

compliqué avec le service des costumes sur le plateau.
Et les cartes d'identité sont pas difficiles à contrefaire.
On en a plusieurs modèles. Je communique avec Lili
Moreau pour lui dire qu'on a trouvé un défaut de
fabrication qui risque de... je sais pas... de te faire
sauter si on s'en occupe pas tout de suite. J'arrive là,
je t'emmène avec moi. T'as juste à simuler une défail-
lance un peu après que je l'aurai appelée. Fais-le pas
avant, parce qu'elle pourrait téléphoner à la compagnie avant que j'arrive.

Valentin acquiesça. L'espoir lui revenait peu à peu
comme un rayon de soleil blafard après un hiver long
et morne.

– Bonne idée. J'ai juste besoin de sortir d'ici.
Appelle-la dans trois heures. Elle devrait être revenue.
Merci, Lerenard. J'oublierai pas ça.

⁜

Victor fit tournoyer son verre, lentement, puis jeta
un coup d'œil sur un J-1684 assis sur le divan dans
une pose langoureuse composée d'après plusieurs rôles
filmiques de Valentin Malenfant.

Il plissa les yeux.

– Qu'est-ce que tu mijotes, exactement? T'est beaucoup trop tranquille. C'est pas le Valentin qu'on
connaît. Ça fait un bout de temps que ça me chicote.
Écoute-moi. Si tu penses endormir mes soupçons et
t'échapper ou quelque chose du genre, sache que ton
attitude jusqu'ici me fait l'effet contraire. Les invités
arrivent bientôt: tu vas me montrer exactement ce que
t'as dans le ventre. On verra si tu fais semblant. Mais

d'abord, je vais te donner tes directives pour notre prochaine entreprise. Tu connais Lili Moreau, la fille du milliardaire?

J-1684 acquiesça vigoureusement de la tête.

– C'est sûr. Elle est belle, intelligente, riche et pleine de talent. Un homme ne pourrait souhaiter mieux. C'est mon âme sœur.

Le rouquin pencha la tête, goguenard.

– Ah, oui? C'est réciproque, mon cher. Elle s'est acheté un borobo de toi; on va en profiter. Et là, tu pourras pas faire semblant. C'est quitte ou double : tu joues pour de bon. Si tu réussis, on est quitte. Tu vas trouver moyen de l'attirer ici pour une soirée romantique. Une fois qu'elle sera arrivée, tu vas l'empêcher de partir. On s'occupe du reste. Madame Moreau va nous rapporter beaucoup d'argent… tant que son papa collaborera! Et je suis pas mal sûr qu'il le fera.

J-1684 pencha la tête.

– Je comprends.

Victor leva le sourcil.

– Heureusement pour toi, Malenfant.

✢

Lili entra en coup de vent, rose de plaisir, agitant ses paquets.

– Faut absolument que je te montre ça, Val! J'ai acheté les plus beaux souliers en ville! À la toute dernière mode, dans ma couleur préférée en AlliCroc^MD. Puis les petites robes que j'ai achetées sont adorables.

Je suis allée chercher de la lingerie, aussi. Je me sens jolie, jolie, jolie.

Valentin réprima un sourire indulgent, qui aurait paru trop étrange dans le visage d'un robot soumis. S'il avait été en couple avec elle, il l'aurait encouragée à enfiler sa lingerie sans attendre. Il ressentit un pincement au cœur et écarta aussitôt l'idée. Leurs ébats lui procureraient de bons souvenirs, voilà tout.

Il se concentra sur son rôle, et se contenta d'exprimer son admiration d'une voix qu'il espérait suffisamment robotique mais assez mélodieuse pour faire honneur aux capacités technologiques de BoRoBo Inc.

— Ton goût est exquis, Lili. Tes robes sont presque aussi belles que toi.

Elle se hissa sur la pointe des pieds pour lui donner un baiser. *Quel élan*, songea-t-il. Il éprouva un moment de pitié pour Lili.

Le téléphone sonna. Elle répondit à l'appel et fronça les sourcils.

— Un quoi ? Un défaut ? J'ai rien remarqué. Instable ? Il a l'air complètement normal, même s'il est pas exactement comme je le veux. Je veux pas le retourner. Seulement quelques heures ? Dans ce cas-là, si c'est vraiment nécessaire… mais j'ai pas vu de problème… Bon. Rappelez-moi. Demain, ça va. De préférence en après-midi.

Elle se tourna vers Valentin en faisant la moue.

— Faudra peut-être qu'on te ramène à l'usine. Apparemment, t'aurais un défaut. Un homme est censé venir t'inspecter. Mais je veux pas que tu partes. J'ai peur qu'on change quelque chose et que tu deviennes quelqu'un d'autre, et que je t'aime moins. Je t'aime comme ça, moi.

Valentin se sentit désarmé. Lili était plus affectueuse et sincère que toutes les personnes qu'il avait fréquentées depuis qu'il avait connu le succès. Il aurait voulu le lui dire. Mais il se rappela qu'elle l'aimait pour le rôle qu'il jouait : soumis, flexible, parfait dans tous les sens. Il avait trop bien incarné son personnage. Ce n'était pas lui, après tout, réfléchit-il, non sans amertume.

Il passa en revue ses mariages antérieurs et ses innombrables relations amoureuses. Il n'avait jamais ressemblé au personnage qu'il incarnait aujourd'hui. Au contraire, il avait exprimé chaque mécontentement, s'était permis tous les caprices et avait critiqué ses partenaires chaque fois qu'elles manquaient de l'admirer comme il pensait qu'elles le devaient. En sursautant imperceptiblement, il se rendit compte que c'était la première fois depuis longtemps qu'il se laissait aller à un moment d'introspection. Cela lui fit l'effet d'une révélation.

Sur le coup, il se sentit mélancolique. Et seul. C'est à ce moment que Lili lui tendit la main et l'attira à elle.

Le rouquin passa son téléphone à J-1684.

— T'appelles les 'bloïdes, tu leur dis que t'as entendu parler du borobo, que tu trouves que Lili est une très belle femme, et que tu vois pas pourquoi tu pourrais pas la rencontrer en personne. Tu lui lances une invitation, comme ça.

Le robot composa le numéro consciencieusement.

Lili ouvrit la porte avec entrain.

– Nouredineh! C'est super de te revoir. Viens, entre!

Valentin était assis sur le divan. Son cœur palpitait et menaçait de sortir de sa poitrine. La jeune ingénieure souriait de toutes ses dents.

– As-tu vu les 'bloïdes? Valentin Malenfant veut te rencontrer en personne, dit-elle. Selon lui, t'es d'une beauté exceptionnelle, à en juger par tes photos.

Lili ouvrit grand les yeux.

– Oh, là là. Mais comment on sait que c'est vrai?

– Y a une bande vidéo. C'est lui, je te dis!

– Attends une minute, mon portable vibre. C'est mon père, dit-elle, en s'éloignant dans la cuisine.

Valentin ne bougeait pas, terrifié à l'idée que Nouredineh, qui le regardait de biais, s'intéresse trop à lui. Il tentait de réfléchir. Soudain, il sentit monter une intense panique. Le borobo voulait faire connaissance avec Lili? Les mafieux manigançaient quelque chose! Ça n'annonçait rien de bon.

Lili entra précipitamment dans la pièce.

– Devine quoi! Papa était fâché quand il a appris que Val avait des imperfections et il en a parlé directement à Gastilloux.

– Ton père le connaît?

– Oui, c'est son ami. Il va venir examiner Val personnellement. J'aurai sûrement plus besoin d'attendre l'autre bonhomme. Je suis vraiment contente! Je vais dire au concierge de le laisser entrer.

Elle fit la moue.

– Mais je pourrai pas assister à l'examen. Personne

a le droit d'observer le fonctionnement interne des borobos.

– C'est dommage. J'aurais aimé voir ça.

– Oui, t'es curieuse, toi! Papa m'a aussi appris que chaque robot enregistre ses conversations; c'est utile en cas de défectuosité. Le fabricant affirme que c'est absolument confidentiel, mais j'aime pas du tout ça. Papa a entendu parler de ça un soir qu'il soupait chez Éric. Les policiers ont appelé pour obtenir un code de sécurité, puis Éric s'est disputé avec l'agent sur la raison des enregistrements. Il voulait pas qu'ils nuisent à ses clients. Papa trouve que si les gens font quelque chose d'illégal, ils méritent de se faire prendre, et que ça pourrait aider les enquêtes pour meurtre, entre autres.

– Et toi, tu vas faire quelque chose d'illégal? demanda Nouredineh d'un air complice. Je pense quand même que le fabricant a trop à perdre de briser la confidentialité. Mais oublions ça pour le moment… Il me semble qu'on n'a plus grand-chose à faire ici. On sort magasiner?

– Oui, bonne idée! Et non, j'ai pas l'intention d'enfreindre la loi. Seulement, je trouve que la vie privée c'est plus important que la sécurité. Je sais pas, au fond. Je vois les deux côtés de la médaille.

Les deux jeunes femmes quittèrent le condo bras dessus, bras dessous. Valentin appela Lerenard aussitôt.

– Écoute. On peut pas suivre le plan d'origine. Je suis à peu près certain que Lili est sur le point de se faire enlever, ou pire. Il faut absolument empêcher ça.

La voix de Lerenard trahit la confusion.

– Je pensais que tu la haïssais parce qu'elle a commandé ton borobo. Laisse-la se débrouiller. Pourquoi tu devrais t'inquiéter pour une fille de riche?

Valentin répliqua, en colère.

– La situation est sérieuse! Lili risque d'avoir de graves problèmes, et nous aussi, si on fait rien. Et c'est à cause de moi que tout ça arrive.

Lerenard changea de ton.

– T'as raison. Qu'est-ce qu'on fait?

Malenfant fut catégorique.

– Il faut m'échanger contre le borobo. Écoute-moi. J'ai appris que les robots enregistrent leurs conversations. Je veux que tu trouves celles de mon borobo et que tu les copies. Mais vite! On peut pas attendre à demain! Éric Gastilloux va passer ici aujourd'hui. Il faut faire la substitution avant qu'il arrive, sinon je suis foutu! Ensuite, je m'occuperai de cette bande de mafieux, comme j'aurais dû le faire dès le début. Lili est sortie pour quelques heures. Tu peux sonner, je t'ouvrirai la porte.

Lerenard se fit encore plus obséquieux que d'habitude.

– Bien sûr, Valentin. C'est un excellent plan.

Malenfant soupira en s'efforçant de ne pas trop laisser paraître son agacement.

– T'es sûr?

– Sûr, Valentin. Je suis là pour toi.

– Parfait, répondit le comédien. J'ai besoin de toute l'aide possible…

✢

Habillé en réparateur grâce à des costumes dénichés sur le plateau où on tournait *N'importe quoi*, une comédie dramatico-romantique sur les différences entre les classes sociales, Lerenard transpirait abondamment lorsqu'il frappa à la porte du 1544, boulevard Fleury. Aussitôt que J-1684 répondit, il prononça le nom d'utilisateur et le mot de passe avant de lui donner ses ordres.

— Suis-moi en silence. Et vite, dit-il.

Le robot obéit sans hésiter. Il suivit le concepteur de décors vers sa voiture.

❖

Lerenard se gara à une extrémité du stationnement devant chez Lili et pénétra dans l'édifice. Il composa le numéro de l'appartement.

Le faux réparateur transpirait d'anxiété en guidant le borobo dans le couloir. Il frappa à la porte. Valentin répondit aussitôt et l'embrassa de joie.

— Tu sais pas comment je suis content de te voir! Alors, c'est ça, mon borobo?

Il toisa le robot du regard, comme s'il s'agissait d'un rival dangereux. Ce dernier lui sourit affablement, dévoilant ses dents blanches et étincelantes.

— Bonjour. Enchanté.

Valentin siffla.

— Pas moi. Vite, il faut copier les enregistrements. Il faut pas s'éterniser ici. Gastilloux ou Lili pourraient arriver d'une minute à l'autre.

Lerenard fouilla dans la mémoire du borobo. Il usa de toutes les astuces de piratage connues pour déjouer les sécurités du système. *Mes nuits en solitaire passées à parcourir les forums de* hackers *auront pas servi à rien*, pensa-t-il.

– Tu sais chanter, à ce qu'il paraît? demanda-t-il au robot en travaillant.

Il regretta aussitôt sa question. J-1684 entreprit de les régaler d'un des grands succès des Ti-Gars, que Lerenard connaissait malgré lui parce qu'il avait déjà fréquenté la mère d'un ado fanatique du groupe.

– Vas-tu te taire? lui intima Malenfant, qui ne voulait pas ameuter le quartier.

Le robot cessa aussitôt de chanter.

Lerenard jeta un coup d'œil à l'Ultrabook^MD qu'il avait apporté pour la copie des enregistrements. L'indicateur affichait que l'opération était complétée à 90 %.

Soudain, on frappa à la porte.

Lerenard et Malenfant figèrent sur place.

– Gastilloux…, chuchota Malenfant. Je me cache avec le robot. Toi, tu réponds.

Lerenard prit une grande respiration et ouvrit la porte.

Le sportif devenu entrepreneur le toisa de haut en bas.

– Mais vous êtes qui, vous? Je suis venu voir Lili Moreau. C'est bien son appartement?

Lerenard fit tout en son pouvoir pour ne pas bégayer. Il se rappela les techniques qu'il avait observées en coulisse lors du tournage de *Moins que rien*, mettant en vedette la pulpeuse Valérie Tomadou, mannequin qui, malgré son charme, n'avait aucun métier. On avait dû embaucher un formateur, qui parlait très fort, pour lui enseigner les rudiments du métier.

– Pardon, monsieur, je suis chargé d'évacuer les lieux. On vient tout juste de remarquer une fuite de gaz. Je m'assurais qu'il restait personne dans l'immeuble. Je dois vous demander de partir.

Gastilloux fronça les sourcils en examinant la fausse carte que lui tendait le concepteur de décors.

– C'est préoccupant, en effet. Les résidents sont-ils au courant? J'entends pas le système d'alarme.

– On les avertit un par un. L'alarme se déclenche seulement en cas d'incendie, répondit Lerenard, qui se remit à suer.

– Je m'inquiète pour la fille de mon ami…

– Vous pouvez pas rester ici. Si ça peut vous rassurer, je me porte volontaire pour vous téléphoner lorsque je verrai la fille de votre ami. Donnez-moi vos coordonnées.

Gastilloux lui tendit sa carte.

– Vous me laissez savoir dès qu'elle sera en sécurité. J'espère rien voir de fâcheux au bulletin de nouvelles.

– Pas du tout. La situation sera bientôt rétablie. On va fermer les soupapes. La procédure d'évacuation est une simple formalité.

Gastilloux sortit. Lerenard soupira bruyamment en s'essuyant le front.

L'indicateur de progrès de la copie était à 100 %. Il sourit de triomphe à Malenfant, qui sortait de la garde-robe avec J-1684, et s'adressa au robot.

– Bon. Ta nouvelle maîtresse est Lili Moreau. Tu obéiras à tous ses ordres. Attends-la ici, elle reviendra bientôt.

Lerenard et Malenfant se précipitèrent hors du condo en dégringolant les escaliers, tout juste avant que Lili Moreau surgisse de l'ascenseur.

Victor était assis sur le divan. Il se mâchonnait la lèvre, impatient, tout en hurlant des ordres dans son téléphone.

– Continuez à chercher! Il doit pas être bien loin! rugissait-il.

Lorsque Valentin entra dans la maison, le mafieux sauta debout pour le réprimander.

– Où t'étais, Malenfant? On s'était entendus: t'aurais dû rester dans la maison! Ça fait une demi-heure qu'on te cherche. T'es mieux de pas refaire ça, sinon…

Le comédien s'accota contre le mur et dévisagea froidement son interlocuteur.

– C'est toi, Victor? Tiens, tiens. Je me souviens pas de grand-chose à ton sujet, mais je peux te dire que Lili Moreau, faudra la laisser tranquille.

Le rouquin plissa les yeux avec dédain.

– De quoi tu parles? T'es rendu fou? Qu'est-ce qui te fait penser que tu peux me donner des ordres, maintenant?

Sans plus attendre, Valentin brandit son portable et projeta l'enregistrement holographique dans la pièce. On y voyait parfaitement Victor, en couleur, grâce à la technologie avancée de la société BoRoBo Inc. Le son était d'une grande clarté.

– Je parle de ça, dit-il sur un ton définitif. Nous en avons plusieurs copies, au cas où tu croirais éliminer le problème en te débarrassant de moi.

Confus et en colère, le meneur recula en bafouillant.

– Comment? On n'a pas trouvé de caméra ni d'enregistreuse sur toi.

Valentin esquissa un large sourire.

– C'était pas moi. C'était mon borobo. Ils ont des enregistreuses intégrées. Là, il est de retour chez sa propriétaire.

Victor prit son arme, la pointa vers Valentin, et recula vers l'entrée.

– Si t'essaies de m'arrêter, j'aurai rien à perdre. Tasse-toi!

Et il s'enfuit.

❖

En rentrant à la maison, Lili jeta un coup d'œil à J-1684 en soupirant d'aise.

– Enfin, je te revois! J'ai pas aimé l'interruption.

Elle approcha du robot et s'aperçut qu'il avait les yeux verts. Fronçant les sourcils, elle lui enleva la chemise et vit qu'il avait la poitrine parfaitement poilue, exactement comme elle l'avait désirée au départ.

– Éric est déjà venu?

Le borobo la regarda d'un air vide.

– Qu'est-ce qui ne va pas, Lili? Veux-tu que je te chante ta chanson préférée des TiGars pour te consoler?

Lili le regarda de haut en bas.

– Minute… T'as jamais chanté pour moi avant. T'es défectueux: tu chantes pas.

J-1684 écarquilla les yeux.

– Défectueux? Bien sûr que non, Lili. Les spécifications fonctionnelles de la société BoRoBo sont très précises. Notre taux de défectuosité est de seulement 0,0632 %.

L'héritière secoua la tête.

– J'ai changé d'idée. Je te veux comme t'étais avant.

Le borobo la regarda : son visage reflétait l'impuissance.

On frappa à la porte. Elle vit dans le judas que c'était Malenfant. Le vrai. *Valentin Malenfant ici en personne, déjà ?* pensa-t-elle. *Qui lui a donné mon adresse ? Décidément, il se passe des choses étranges, aujourd'hui.*

Elle lui ouvrit la porte. Valentin pénétra dans l'appartement désormais familier. Il se tourna vers Lili.

– Salut. J'espère que tu vas pas me remettre dans le placard.

Lili Moreau le dévisagea. C'était Val… La main sur la bouche, elle se sentit rougir de la tête aux pieds.

– Mon Dieu ! C'était toi tout ce temps-là ?

Elle recula, les larmes aux yeux, et serra les poings.

– Comment as-tu pu me faire ça ? Je t'ai tout dit ! T'as tout vu…

La jeune femme se dirigea vers la porte à toute vitesse. Valentin tenta de la prendre par le bras, mais elle se libéra dans un geste plein de rage.

– Laisse-moi ! Tu peux bien rire et te moquer de moi. Tu vas vendre ça à une émission de téléréalité, peut-être ? T'as tout enregistré ? Salaud !

Elle s'enfuit. Tétanisé, Valentin s'écria dans le vide.

– Pardonne-moi ! Je peux t'expliquer ! Donne-moi une chance !

❖

L'appartement de Zaina rappelait une navette spatiale aux lignes pures et blanches. Lili se moucha bruyamment, lovée dans un fauteuil de cuir semblable à ceux de la série animée *Les Jetson*. Zaina la tenait dans ses bras.

– Je suis tellement désolée. Ça doit être un choc épouvantable! Tu peux rester ici aussi longtemps que tu voudras. Est-ce que tu vas le faire arrêter?

Lili renifla.

– Mon avocate m'a avertie que les avocats de la défense feraient tout pour prouver que j'étais consentante, que je désirais coucher avec lui, que j'ai pris l'initiative. Les médias vont me pourchasser jour et nuit. J'ai absolument pas envie de passer par là!

Nouredineh fit son apparition, armée de plusieurs litres de crème glacée.

– J'ai apporté des documentaires. Et des pyjamas super confortables.

Elle fit un long câlin à son amie.

❖

Valentin avait le regard rivé à son verre. Était-ce son septième, ou son neuvième whisky? Il se sentait minable, sale, scabreux. Sa dixième douche de la journée n'avait rien fait pour lui redonner un sentiment de propreté. Sa bouche lui laissait l'impression d'un dépotoir, sans compter l'haleine d'alcool. Au moins, les barmans ici étaient discrets. On ne lui demanderait pas de partir.

Lerenard entra dans le bar. Valentin lui jeta un coup d'œil maussade.

– Qu'est-ce que tu veux? T'as trouvé un autre borobo pour me mettre dans la merde, ou quoi?

Son interlocuteur leva les yeux au plafond.

– C'était pas prévu, tout ce qui est arrivé. Il aurait fallu que tu t'échappes plus tôt de chez Lili Moreau. C'est pas de ma faute!

Le comédien baissa la tête de honte.

– T'as parfaitement raison. J'ai été con de pas anticiper les conséquences.

– Tu peux pas rester comme ça.

– Je fais quoi, d'abord?

– Je sais pas. Sors-toi la tête de la merde. Fais quelque chose! N'importe quoi. Va t'excuser auprès d'elle.

– Je peux pas. Elle a demandé une ordonnance de non-communication.

✤

– Si tu veux pas passer par le système judiciaire, y a peut-être d'autres moyens, suggéra Zaina en préparant la salade du midi.

Lili soupira.

– Comme quoi?

– Je pirate ses informations. On le traque. On trouve un moyen de l'humilier.

– Et comment?

– Il veut te revoir, à ce qu'il paraît? On peut faire semblant que tu lui pardonnes. On l'attire dans un lieu public. Tu le confrontes et tu le dénonces.

– Non. Ça ferait juste prolonger ma misère. J'ai le sentiment de me faire écorcher chaque fois que je pense à lui, à ce qu'il m'a fait. Je me sens utilisée, comme un torchon sale. Et puis, je suis tellement stupide d'avoir rien deviné!

Zaina baissa les yeux.

– Je comprends.

Après qu'elles eurent mangé, Lili sortit d'un pas lourd pour aller faire des courses. Zaina ouvrit son ordinateur portatif et se mit à taper. Elle réussit à pénétrer dans le compte courriel de Lili et composa un message.

Cher Valentin,
Je veux te revoir...

✣

– T'as fait quoi ? Nouredineh était abasourdie.

– T'en fais pas. Lili s'en rendra jamais compte. Même qu'elle a pas besoin de savoir.

– Tu te rends compte que c'est une vedette ? Tout le monde va l'apprendre. Ça va paraître dans les 'bloïdes.

– J'ai un plan. Ça sera tout piraté, ni vu ni connu. Malenfant doit se rendre au Métropolis demain, et il croit que c'est pour y rencontrer Lili. Toi et moi, on se mettra à l'écart pour observer la scène sans qu'il nous voie.

✣

C'est tout à fait inespéré, songea Valentin. Il changea de chemise pour la douzième fois, avant de se rendre à l'évidence : elles lui semblaient toutes pareilles.

Le remords le traquait comme une bête. Que dirait-il à Lili ? *Je suis con. T'avais raison. Je suis un salaud. Je promets que je...* Que je quoi ? Seul le temps lui dicterait comment se racheter, se dit-il.

Le Métropolis commençait à se remplir, compte tenu de l'heure. Valentin s'assit au bar, mais ne resta pas seul très longtemps. Adrien Loranger se joint à lui, sans son entourage féminin habituel. Valentin réprima un sursaut de rage et mit le nez dans son verre. Mais le joueur l'avait reconnu.

– Valentin Malenfant? Le vrai, cette fois! Tu veux toujours rencontrer cette folle de Lili Moreau, comme on a raconté dans les journaux? J'ai entendu dire qu'elle se pointerait ici ce soir. Comme ça, tu te contentes de mes miettes: je l'ai déjà eue. Elle avait rien de spécial…

Incapable de se maîtriser, Valentin lui jeta son whisky au visage.

Cachées sous de grands chapeaux à larges rebords et derrière des lunettes de soleil, Nouredineh et Zaina restèrent abasourdies.

– Ça, c'était pas prévu, chuchota l'ingénieure.

– Merde. Pas du tout, siffla Zaina. Il a dû traquer mon message…

Le joueur de hockey réagit immédiatement. Il se rua avec force sur le comédien, qui tomba à la renverse. Des flashs photographiques – tous des téléphones cellulaires – jaillirent de part et d'autre.

– Tu fais autant pitié qu'elle, espèce de raté! beugla Adrien.

Valentin se redressa, furieux.

– C'est toi, le troglodyte qui a violé une jeune fille de seize ans qui voulait juste un autographe! hurla-t-il. Le raté, c'est toi! Ton club gagnera jamais de championnat, et t'es trop poule mouillée pour aller ailleurs.

Il poussa à son tour Adrien, qui ne broncha pas.

– Ah, ouains? Même ma grand-mère veut plus écouter tes films, vieux dépassé.

– Je vais t'en donner, du vieux dépassé…

❖

La scène fit les manchettes de vingt-trois heures. «Vedette du sport accusé de viol.» Loranger niait tout et menaçait d'intenter un procès en diffamation contre Malenfant. Les tables rondes se multiplièrent: «Abus sexuels dans la ligue nationale. Renommée, impunité?» «Le viol est-il un sport comme un autre?»

Plusieurs jeunes femmes révélèrent qu'elles avaient été victimes d'Adrien Loranger mais n'avaient pas osé le dénoncer, de crainte de représailles et de salissage médiatisé. «Loranger aurait usé d'intimidation pour obtenir leur silence.» On déposa des accusations formelles. Adrien Loranger fut suspendu par la ligue en raison de son procès.

❖

Des asperges et du saumon grillaient sur le barbecue. Nouredineh portait fièrement son chapeau de chef.

– Vous allez adorer ça!

Zaina leva un pouce en l'air en signe d'approbation. Lili lui sourit. Vêtue de son maillot de bain préféré, elle se prélassait sur une chaise longue dans la magnifique cour. Elle fouilla dans son sac. D'un air espiègle, elle en sortit une poupée Ken.

– T'as un invité de plus. Je vous présente mon nouvel ami…

Les trois femmes s'esclaffèrent, et la soirée se déroula dans les rires et l'amitié.

✜

– Coupez !

Valentin Malenfant se dirigea vers le directeur de la photographie pour vérifier l'image.

– C'est ça. C'est exactement ça.

La voix du narrateur résonna sur le plateau de tournage.

– Abus de pouvoir dans le monde du cinéma : mythe ou réalité ? Les productions Malenfant vous présentent le troisième volet du documentaire à succès *Justice du monde*.

FIN

LE PIED À TERRE

I

Le sol pavé de marbre trembla sous le poids des dieux assemblés.

— Assez! Ça fait deux mille ans qu'on se tasse et qu'on les laisse faire. Moi, je dis qu'il faut les submerger une fois pour toutes. Prenez mes vagues et envoyez chacun de ces misérables humains à son repos final sous la mer! tonitrua Poséidon.

Tandis qu'il secouait son trident et le frappait contre le sol pour accentuer ses propos, un morceau de plastique qui s'était pris dans les dents du sceptre vola pour atterrir sur l'épaule de Zeus. Celui-ci fronça les sourcils, le dégoût évident sur ses traits pendant qu'il se défaisait du déchet.

— Les phtalates, marmonna-t-il en secouant la tête. Ils sont plus immortels que nous.

Poséidon le montra du trident.

— Absolument. Et on les trouve partout. Mes dauphins sont en train de mourir par milliers, en prenant ces immondices pour de la nourriture. Évidemment, ce n'est qu'une infime partie du problème. La plupart de mes poissons ont disparu. C'est pas croyable! Les bateaux dont se servent les mortels sont dix fois pires que Scylla et Charybde. Et ces crétins sont en train de détruire mes coraux, qui m'ont pris des millénaires à créer!

Assis face au dieu des vagues, Pan acquiesça vigoureusement. Ses sabots résonnèrent sur le plancher blanc de marbre dur à veines d'or tandis qu'il avançait, ouvrant des bras musclés qui vibraient de colère.

— Il faut arrêter les dommages causés par les mortels. Mes troupeaux et mes volées n'ont jamais été si malheureux. On les enferme dans des espaces de plus en plus exigus plutôt que de les laisser paître ou picorer librement, et on les nourrit de nous-savons-quoi. Et la situation de leurs congénères sauvages n'est guère meilleure. Certaines de mes créatures enviaient leurs cousins libres dans les bois ou les vallées, mais c'était avant qu'on empoisonne le ciel, la terre et l'eau et qu'on couvre tout de béton pour accommoder davantage d'humains. Pourquoi en faut-il autant, de ces humains? Ils sont pires que les lapins.

À côté de lui, Déméter soupira. Son panier d'osier recelait blé, riz, maïs et seigle, qui portaient tous un code à barres.

— Ce sont des lapins malfaisants. On leur donne des grosses méninges et voyez un peu ce qu'ils en font. Il aurait mieux valu laisser se noyer Baucis et Philémon. Ce déluge aurait dû être le dernier. Plutôt que d'apprendre leur leçon et de tenir en bride leur orgueil démesuré, ils ont décidé de nous mythologiser et d'oublier leurs devoirs envers nous. Mes récoltes diminuent chaque année avec la disparition des sols. Et les lots cultivés sont tous pareils. Ils osent même s'en déclarer propriétaire! Une seule maladie peut détruire des récoltes entières. Je suis tout à fait d'accord avec Poséidon. Qu'on lave le monde de tous ces mortels! D'autant plus que le travail est en cours: ils font déjà fondre les glaciers.

Zeus se mit à tambouriner sur l'accoudoir du trône d'Olympe.

– C'est vrai qu'ils ont eu bien assez de temps pour se déniaiser. Nous nous sommes tenus à l'écart de leurs affaires depuis que ce bonhomme s'est promené partout en se déclarant le fils du seul dieu de l'univers. C'était comique dans le temps, mais là ce l'est moins. De toute façon, même s'il revenait sur Terre pour dire aux mortels de modifier leurs comportements, ceux-ci ne l'écouteraient probablement pas non plus.

Son épouse, Héra, s'approcha du trône.

– T'as raison, mon chou. Faut pas oublier ce qu'ils ont fait aux Cieux. L'air est si sale qu'on ne voit rien lorsqu'il fait chaud. Même que certains de tes nuages ont viré au brun. C'est un sacrilège.

Zeus acquiesça de la tête.

– En effet. Un sacrilège.

Il étendit la main et un rouleau apparut, accompagné d'une magnifique plume de paon.

– Je proclame dès aujourd'hui que la Terre devra se faire inonder…

– Attendez!

Apollon, dieu de la vérité, de la lumière et de la guérison, se précipita devant l'assemblée.

– Les êtres humains forment une espèce unique. Ils sont cependant victimes des défauts de leurs qualités, voilà tout. Je vous accorde que l'intelligence qui leur permet de refaire le monde le refait de façon inquiétante. Leur persévérance les rend aveugles aux catastrophes qu'ils provoquent. Leur raison les pousse aussi à justifier les pires excès de manière tout à fait ingénieuse, mais fausse… Et il est vrai qu'on ne peut plus les diriger comme avant. Mais, avant de condamner au néant une de nos créations les plus originales, il faudrait envoyer quelqu'un chez eux pour mener une enquête et soumettre un rapport. Il y a peut-être un espoir de salut pour ces créatures. Nous pourrions les influencer sans qu'ils s'en doutent.

Le visage d'Apollon rayonnait de bienfaisance. Ses cheveux tombaient de son casque sur ses épaules fortes et musclées. Sa voix rappelait la lyre dont il adorait jouer.

Les dieux furent enchantés, comme toujours lorsqu'il leur adressait la parole. Zeus se racla la gorge.

– Tu parles avec éloquence, mon ami. Bon. Nous enverrons Athéna. Elle saura faire la part des choses.

La déesse de la guerre, de la sagesse et de l'industrie marcha d'un pas décidé vers l'avant de la grande salle et fit face au panthéon assemblé. Elle inclina la tête. Son visage sérieux était de marbre, comme les murs et les colonnes qui l'entouraient. Un hibou atterrit sur son épaule.

– J'accepte la mission.

Zeus sortit un autre rouleau et le consulta.

– Très bien. Il y aura un congrès mondial sur l'environnement bientôt, dans la ville de Toronto, au Canada. Ce sera ton premier arrêt.

Tout à coup, une odeur nauséabonde remplit les parages, annonçant un miasme qui faisait trembler jusqu'aux dieux. Un singulier personnage avançait. Muni d'un sceptre tordu dont se dégageait une lueur glauque, il traînait derrière lui un sillon de boue visqueuse et fétide. D'innombrables mouches tournoyaient autour de sa tête et de ses épaules. Il était vêtu de lambeaux de chair pourrie, d'immondices et de plusieurs colliers composés de petits os et de crânes humains. Il paraissait de très mauvaise humeur.

– Qu'est-ce que c'est que cette histoire ? Je trouve la Terre très bien comme elle est !

Zeus, qui s'était bouché le nez, marmonna :

– Hadès. Voilà longtemps que tu n'avais pas surgi de ton antre.

– Et juste à temps, à ce que je vois.

Il se redressa avec hauteur.

– Vous et vos lyres, vos champs et vos fleurs, vous ne vous rendez pas compte à quel point vous êtes ennuyants. Vous n'avez aucune imagination. Il faut quand même briser quelques œufs pour créer des œuvres intéressantes.

Pan le toisa, tapant le marbre de son sabot avant de rétorquer :

– La destruction totale des prés, des montagnes et des océans que nous avons mis tant d'efforts à perfectionner est loin d'être une question d'œufs cassés. Retourne aux Enfers. Va jouer avec les morts. Ce sont les seuls qui tolèrent ta compagnie, et seulement parce qu'ils n'ont pas le choix.

Visiblement blessé, Hadès frappa le sol de son

sceptre, éclaboussant l'auguste assemblée d'effluences malodorantes.

— N'oubliez pas que la Terre est autant mon domaine que le vôtre. Ces bassins de résidus qui vous repoussent sont des œuvres d'art liquides à mes yeux. Les dépotoirs sont des hommages à ma grandeur. De toute façon, ce n'est pas si grave que ça, quelques odeurs inusitées et un peu de couleur dans les nuages. Voilà longtemps qu'on me critique pour ma différence. C'est une question de goût. Moi, je m'aime malgré tout. Je sais que je suis assez bon, au moins autant que vous, et honni soit qui mal y pense.

Sur ce, Hadès quitta les lieux en un nuage infect et poussiéreux, en fredonnant « Je suis beau comme ça » sur un air de Charles Aznavour.

Déméter leva les yeux et fit la moue.

— Frérot est toujours dépité d'avoir tiré au sort les Enfers et les morts lors du partage de l'Univers. Ce n'était pas assez de me voler ma fille. Il n'est jamais content et fait tout pour compenser son malheur. Chaque fois qu'il laisse quelque chose pourrir ou tomber en morceaux, il appelle ça « l'appréciation du naturel ». Les désastres qu'il sème sur son passage sont pour lui des occasions de grandir et de devenir plus fort. Les trous béants qu'il crée partout sont « des portes ouvertes vers de nouvelles possibilités ». Il m'énerve !

Zeus acquiesça.

— Athéna, tu auras du pain sur la planche pour le tenir à l'écart des mortels. Tu es tout à fait à la hauteur de la tâche, heureusement.

⁙

– Maman, regarde! C'est la statue de la Liberté.

Athéna jeta un coup d'œil à ses vêtements. *Ah oui. J'aurais dû changer d'atours avant de descendre sur Terre*, pensa-t-elle.

– Il ne faut pas fixer les gens du regard, chéri. Ce n'est pas la statue de la Liberté. C'est une gentille madame en costume et elle est probablement très occupée.

La mère s'esquiva, empoignant son garçon qui protestait de vive voix. Athéna le remarqua à peine. Après tout, surgie directement du crâne de Zeus et armée jusqu'aux dents dès son apparition, elle n'avait jamais été enfant.

La déesse examina les parages. Une vitrine de magasin étalait des statues habillées de tenues qui manquaient décidément de modestie par rapport à son long péplos flottant de soie. Et le manque de modestie était typique, à en juger par les nombreux humains encombrant les environs. Il y en avait d'ailleurs davantage qu'au moment de la guerre de Troie, se dit-elle, contrariée.

La déesse se tapit contre le mur d'une ruelle sombre, hors de vue des passants, et cligna des yeux. Sa robe, son égide et son casque se volatilisèrent pour faire place à un jean moulant à taille basse, un t-shirt rayé rouge et blanc et des espadrilles montantes noires, copie parfaite de ce qu'elle avait vu en vitrine.

Athéna sortit de la ruelle et se déplaça sur à peine une centaine de mètres avant qu'une voix de garçon l'interpelle:

– Ayoye, la belle! Viens-t'en frotter c'te beau corps-là cont' moé.

Athéna se retourna pour dévisager le mortel impertinent qui avançait vers elle. C'était un jeune homme qui souriait béatement, les cheveux en bataille et le chandail taché. Il tenait un tube fumant d'une puanteur nauséabonde entre ses doigts. Il n'avait pas l'air de comprendre qu'il commettait un acte impardonnable puisque son expression ne trahissait aucune conscience de son geste. Il s'en léchait plutôt les lèvres. Athéna contempla brièvement l'idée de le changer en pierre ou en crapaud. Mais elle reprit son chemin.

Les édifices avoisinants, aux murs de pierre où courait le lierre, affichaient leur appartenance à l'Université de Toronto. Une bannière surplombant la rue annonçait le Congrès biennal sur l'habitat planétaire. Voilà, songea la déesse. Allons mesurer le sérieux des mortels quant à leur ouverture au changement. Il ne reste plus qu'à repérer l'emplacement du congrès.

Quarante-cinq minutes plus tard, grâce à sa boussole intégrée, sa vision infrarouge, tous ses pouvoirs de déesse immortelle et l'aide de quatre policiers du campus, la divine Athéna trouva enfin la salle C335 de l'aile ouest de l'édifice Stanford du sous-département des Écologies diversifiées du département de l'Environnement de la faculté des Sciences de l'université.

Les étudiants, ayant trouvé de meilleurs pâturages en ce beau jour de printemps, avaient été remplacés par des leaders politiques et scientifiques de tout acabit dans les augustes couloirs de l'institution. De nombreux manifestants, des douzaines de policiers, et une multitude de sociologues, d'économistes et de politologues s'étaient ajoutés à eux.

La perspective de lutter contre la foule fatiguait

Athéna à l'avance. *Il serait tellement plus simple de réapparaître dans le couloir, ou de zapper les gens avec des éclairs,* pensa-t-elle. *Ça risque de me faire remarquer. Donc, pas ici.* Elle s'efforça de rester la plus mortelle possible, allant même jusqu'à sourire. Quel ennui.

– Pardon. Pardon. Désolée. Pardon.

Les participantes du congrès ne portaient pas le même genre de tenue qu'elle. Athéna jeta un coup d'œil aux parages, puis se plaça derrière un poteau. Quelques secondes plus tard, elle en ressortit vêtue d'une blouse rose cendré en soie et d'un tailleur gris, pour faire plus distingué. Peut-être lui accorderait-on davantage de respect maintenant ?

– Pardon, madame. Votre badge de déléguée, s'il vous plaît.

Le jeune homme à l'entrée de la salle de réception où devait se dérouler la conférence principale se tenait penché au-dessus de la table, les deux mains sur la surface, l'air catégorique. Athéna jeta un coup d'œil à une participante qui entrait prendre sa place. Elle secoua sa boutonnière. Un badge ornait soudain la blouse de soie.

– Ah. Désolé. Je ne l'avais pas vu.

Le jeune homme fronça les sourcils et secoua la tête en s'adressant à son collègue responsable des inscriptions, tandis qu'il donnait un dépliant à Athéna.

– J'ai besoin de lunettes, je crois.

Dans la salle de conférence, les cheveux gris et costumes élégants des rangées à l'avant cédaient le pas aux chevelures hérissées et aux jeans à l'arrière. On avait ajouté plusieurs chaises et, malgré tout, les gens se tenaient debout au coude-à-coude.

Selon le dépliant, le conférencier de l'heure était un environnementaliste de grande renommée, Robert Anouk. Il s'adressait à la foule. Des experts étaient assis à une longue table à sa gauche.

– J'aimerais pouvoir vous dire que nous avons une victoire à célébrer, une étape clé dans la sauvegarde de la planète que je pourrais souligner. Malheureusement, le bilan écologique ne fait qu'empirer. La population mondiale dépasse la capacité limite de la Terre, puisque celle-ci a besoin d'un an et un quart pour produire ce que nous utilisons en un an. Les océans ont perdu environ 90 % des grands poissons prédateurs et les trois quarts des stocks sont menacés de disparition. La dernière décennie nous a donné les étés les plus chauds jamais enregistrés, produisant des feux de forêt dévastateurs et des sécheresses record. Les changements climatiques touchent toutes les régions du monde, provoquant des inondations et des tempêtes catastrophiques. Il ne s'agit plus de demander si le problème existe. La réponse est déjà évidente. La question qu'il nous reste à poser est : est-il trop tard pour retrouver l'équilibre ? J'aimerais bien répondre que non, mais il manque de volonté politique pour mettre en œuvre les mesures draconiennes qui s'imposent. C'est pourquoi le présent congrès est absolument crucial. Nous avons besoin de plus que des protocoles sur papier. Il nous faut entreprendre des actions immédiates.

De fortes acclamations résonnèrent à l'arrière de la salle. Surpris, les participants de l'avant se retournèrent vers la source du tapage. Certains des tapageurs brandissaient des pancartes en carton aux slogans écrits à la main. « Sauvons la planète ! » « Les changements climatiques ont lieu aujourd'hui! Les changements politiques, c'était pour hier!» «Feu vert pour une planète verte!» «Écombattants, unissons-nous!»

Athéna étudia les participants de l'avant. C'étaient de toute évidence les décideurs, ceux qui annonceraient le plan d'action à la population. Ils gigotaient, se tripotaient la cravate, les boutons et les boucles d'oreille, croisaient et décroisaient les jambes, haussaient les épaules comme si leurs costumes étaient trop serrés. La déesse n'y voyait rien de bon. Son humeur s'assombrissait.

Pendant la pause du midi, elle voleta ici et là autour des plus jeunes puis se mêla aux groupes de leaders. Un mortel de sexe mâle en particulier paraissait respirer la modestie et le respect. Athéna en fut apaisée. *Enfin une attitude convenable…* Cependant, lorsqu'il la guida par le coude pour lui parler en privé, plutôt que de discuter de l'étendue de la dégradation des sols en Afrique occidentale, il fit un commentaire sur la forme de ses mollets.

– Vos yeux brillent, ajouta-t-il.

Athéna le regarda de travers. Le visage du mortel ne reflétait pas réellement la modestie, constata-t-elle, mais plutôt une certaine hauteur, accompagnée de lubricité.

Elle cligna des yeux.

Son interlocuteur se mit à frissonner et à sautiller sur la pointe de ses chaussures de cuir pleine fleur cousues à la main. Des punaises descendaient en colonnes le long de son costume de soie italien gris à rayures fines. Il partit à la course en direction de la salle de bains. Avant qu'il ne puisse y entrer, un homme et une femme en salopette de caoutchouc l'interceptèrent.

– Monsieur, nous regrettons de vous informer que vous devez quitter les lieux. Nous avons reçu l'ordre de prévenir ce genre d'infestation.

– Mais je suis sous-ministre adjoint! protesta-t-il en vain, tandis que l'empoignaient des agents de sécurité aux mains gantées, secondés sous peu de fumigateurs équipés de bombes aérosol à roulettes.

La déesse poussa un soupir. Une mortelle pouffa de rire à ses côtés. C'était une Asiatique élancée à la coiffure impeccable, vêtue d'une veste à motif pied-de-poule et d'une jupe fuseau noire.

– Vive les infestations, non? Je ne m'habitue jamais à ce genre d'homme. C'est fâcheux, n'est-ce pas? On tente une conversation sérieuse et c'est peine perdue. Avec du monde comme ça, c'est pas surprenant qu'on ait un problème de surpopulation, pas vrai?

Le commentaire fit réfléchir Athéna. C'était une observation tout à fait pertinente.

– En effet. Il faudrait sans doute reconditionner les humains à l'œstrus, comme la plupart des mammifères. Cela permettrait une meilleure gestion de la progéniture et freinerait l'élan des mâles de l'espèce.

Quelle bonne idée. La déesse se sentit sage. C'était son boulot, après tout.

– Freiner l'élan des mâles. Tiens, sur ça, je suis tout à fait d'accord. C'est quoi, votre spécialisation? La mienne, c'est justement la démographie. En passant, je m'appelle Céline.

– Athéna. Je suis venue à titre d'observatrice, mais je m'intéresse beaucoup à votre domaine de recherche. Avez-vous beaucoup d'appuis?

– Bonne question. On associe souvent la recherche sur la population au néomalthusianisme et à l'extrême droite. Personne ne veut dire aux gens d'arrêter d'avoir des enfants, surtout lorsque leur religion dit que c'est un péché. Mais certains des pays les plus peuplés sont aussi les plus pauvres et la régulation des naissances ne fait absolument pas partie de leurs priorités. Il est vrai que la Chine a tout fait pour limiter la croissance de sa population entre les années 1980 et 2010, mais elle s'est fait critiquer pour violation des droits de la personne. Il reste que l'augmentation de la population est franchement inquiétante. Savez-vous qu'il a fallu attendre 1800 avant que l'humanité atteigne son premier milliard d'habitants? Il lui aura fallu ensuite moins de deux cents ans avant d'atteindre six milliards. L'ONU prévoit qu'elle franchira le cap des dix milliards en 2050.

Athéna ajouta son grain de sel.

– Les Spartiates laissaient déjà leurs bébés plus faibles mourir au dépotoir à l'entrée de l'État-cité. Les femmes de plusieurs cultures ont, tout au long de l'histoire humaine, tué leurs enfants lorsqu'il était trop difficile d'en prendre soin. Chez les animaux, les mâles tuent la progéniture de leurs rivaux.

Céline paraissait mal à l'aise vis-à-vis de tels propos.

– Euh, ouais. Il est moins barbare de contrôler les naissances que de laisser pourrir un bébé déjà né, selon moi.

– Oui. Mais il faudrait quand même implanter un mécanisme d'abattage sélectif pour les humains.

Céline la dévisagea d'un air tout sauf adorateur. Cependant, un autre mortel arrivait, souriant à Céline sous sa barbe brune touchée de gris. Il portait un pantalon de sport beige et un gilet sous un veston vert forêt légèrement fripé.

– Salut, Pierre. Je te présente Athéna. En passant, j'adore ce petit nom. C'était ma déesse préférée quand j'étais petite, ajouta Céline.

Enfin un peu de vénération, songea la divinité. Elle pourrait faire mieux côté dévotion, mais vu la médiocrité des humains disponibles, elle fera l'affaire.

– Enchanté. Ça doit être tout un défi d'être à la hauteur de votre nom.

Pierre serra la main d'Athéna avec tout le sérieux et le respect du monde. Il ne fit aucune mention des diverses parties de son corps féminin, nota-t-elle. Les mâles ne se comportaient donc pas tous de la même façon.

– Pierre est océanographe, expliqua Céline.

– C'est un très vaste domaine à étudier, observa la déesse.

– J'ai bien peur que oui, mais nous faisons de notre mieux. Malheureusement, même si la biodiversité dans l'océan est plus élevée que sur Terre, il reste beaucoup moins de vie marine à étudier qu'il y a cent ans.

Athéna fronça les sourcils.

– À ce qu'on m'a dit, c'est un véritable massacre.

Le mortel en paraissait dégoûté à son tour.

– Ce qui arrive aux stocks halieutiques est épouvantable. L'aquaculture n'est pas la solution, même si tant de gens semblent y croire. Elle détruit les habitats côtiers pour les autres espèces et, puisque les poissons d'élevage sont des carnivores, ils ont besoin de farine de poisson sauvage, ce qui exerce encore davantage de pression sur les stocks dans la nature. L'élevage de poisson est aussi plus énergivore que la pêche au filet. Déjà, en 2000, les pêcheries mondiales utilisaient en carburant plus de douze fois et demie l'énergie qu'elles fournissaient en énergie nutritive. Donc, il s'agit non seulement d'épuisement, mais d'épuisement hautement inefficace, et qui nuit à tous les autres aspects de l'écosystème. Il faut se rappeler que l'océan n'est pas un environnement physique séparé. Il filtre au moins le tiers de tout le dioxyde de carbone que nous rejetons dans l'atmosphère.

– À quel point l'humanité est-elle prête à nettoyer ses dégâts? demanda la déesse.

Pierre secoua la tête.

– Tant que les modèles de gestion et d'affaires actuels continueront à dominer, il n'y aura aucun changement. Il faut de la volonté politique de la part des leaders, mais jusqu'à présent, les profits ont toujours été assez intéressants pour empêcher de vrais changements aux politiques concernant les pêcheries. L'aquaculture, en 2010, comptait pour presque la moitié de la production mondiale de poisson, du moins en termes de poids. La disparition des espèces sauvages accélérera le processus. La dégradation des océans se poursuivra en une spirale exponentielle.

Athéna soupira. Son rapport déplairait à Apollon, qu'elle trouvait de son goût. C'était un joli dieu, mais dont la confiance envers les mortels était nettement déplacée.

Elle parcourut du regard la foule en mouvement. Volonté politique. Leaders. Elle reconnut deux mâles et une femelle – leurs visages étaient connus grâce aux transmissions de signaux satellites, que même les résidents d'Olympe n'avaient pu éviter. Le trio était entouré de plusieurs mortels qui brandissaient des caméras de télévision et des microphones. Chacun des leaders proclamait à haute voix son accord avec tous les objectifs de la conférence.

Céline suivit le regard d'Athéna et grogna son mépris.

— Bien sûr qu'ils sont tous d'accord. Ils sont toujours d'accord. Parfois ils signent même des ententes. Puis, tout le monde rentre à la maison et accomplit très peu.

— Ces soi-disant leaders parlent de protéger les emplois du secteur des pêcheries. C'est faux. Ils permettent la destruction de ces emplois tout autant que celle des habitats, ajouta Pierre. Ici, au Canada, il n'existe pratiquement plus de pêche à la morue, puisqu'il n'y a plus de morue. Les entreprises se préoccupent uniquement des profits à court terme. C'est ce que visent leurs actionnaires. Ils donnent aux politiciens l'argent nécessaire pour assurer leur élection puis leur nomination à des postes avantageux, à leur retraite de la politique. Voilà où se terre la volonté politique.

— L'industrie s'oppose à la sagesse, constata Athéna.

— Pas si sûr, répliqua Céline. On a aussi enregistré une dégradation de l'environnement au Groenland, sous les Vikings, puis sur l'île de Pâques.

La déesse acquiesça.

— Vous avez raison. Les humains détruisent leur environnement depuis très longtemps.

Autour des trois politiciens, les équipes de télévision

éteignaient leurs caméras, rangeaient leur équipement et quittaient les lieux. Athéna s'approcha d'eux. Ils paraissaient perplexes, dédaigneux même. *Le libre arbitre*, songea-t-elle, *pourquoi a-t-on pensé à ce règlement ridicule? Bien sûr qu'ils ne sont plus contrôlables.*

– Salut. J'ai une question très simple pour vous. Si les dieux décidaient d'inonder la Terre à moins que vous n'arrêtiez de ruiner la planète, que feriez-vous?

Un des mâles, cheveux blancs et lunettes dorées, pouffa de rire en ajustant ses boutons de manchette en diamant. Le nom sur son badge indiquait Martin Leroux.

– Eh bien, ma chère, je présume que vous êtes journaliste? Je vous assure que nous faisons notre possible pour servir tous les intérêts en concurrence sur les questions d'environnement.

Une vague odeur nauséabonde se dégageait de lui. Athéna fronça le nez.

– Vous ne me répondez pas.

Il sourcilla.

– Je crois que vous devriez faire vos recherches, ma chère enfant, si vous souhaitez bien faire votre travail. Plusieurs accords ont été mis en place pour réduire les émissions de gaz à effet de serre, et nous avons d'innombrables systèmes de quotas pour réapprovisionner les pêcheries. Nous disposons également de plusieurs protocoles traitant de la qualité des sols. Vous devriez les consulter.

Ses deux collègues esquissèrent un sourire dédaigneux.

Athéna sentit la moutarde lui monter au nez.

Hubris! Cet homme osait questionner la déesse de la guerre, de la sagesse et de l'industrie? D'une voix de glace, elle répliqua:

– Nous n'avons qu'à observer la Terre et son ciel brun, ses lacs et rivières bruns et les débris en plastique qui suffoquent l'océan pour se rendre compte que, si quelqu'un ne sait pas faire son travail, c'est vous.

Avant que l'homme d'État puisse répliquer, Athéna cligna des yeux et il s'étouffa. De sa bouche émana un rot décidément fétide. Des plaies purulentes et dégoulinantes de sang apparurent sur sa peau. Les deux autres mortels poussèrent des cris aigus et il s'effondra au sol, tel un mendiant mal lavé. Autour d'eux, les humains s'exclamaient haut et fort: «Qu'est-ce que c'est, cette maladie? Est-ce que c'est contagieux?»

Athéna sortit d'un pas décidé de la salle de conférence, alors qu'éclatait la zizanie. Toujours en colère, elle se dirigea vers le sud. *Je dois me calmer. Il ne faut pas juger trop vite.* C'était difficile. Elle ressentait la tentation presque irrésistible de déclencher le déluge immédiatement, sans plus d'enquête ou de tentative d'éducation. Tandis qu'elle traversait la rue, une voiture klaxonna plusieurs fois. Ses pneus se dégonflèrent instantanément et la voiture eut une collision avec un poteau téléphonique quelques mètres plus loin.

La déesse erra quelque temps dans le quartier, observant avec dégoût les déchets virevolter dans le vent et flotter dans les ruisseaux. Plus la chaleur s'intensifiait, plus le ciel devenait brun à l'horizon. Elle se retrouva devant un hôtel élégant, près de l'université. Elle avait marché en rond.

À l'odeur, elle crut percevoir un nuage empesté, qui

se dissipa rapidement. Hadès. Elle entra dans le hall en catimini, se dissimulant derrière une colonne en faux marbre. La mauvaise odeur était poignante malgré que le dieu souterrain ait fait un brin de toilette et portait complet et cravate. Le sceptre pouilleux avait fait place à une magnifique canne à pommeau d'or finement ciselé.

À côté de lui, l'humain Martin Leroux baissait la tête obséquieusement. La peau toujours marquée, mais maquillée pour cacher le plus possible ses plaies, il avait changé de tenue.

– Monsieur Dispatère, nos efforts portent fruit. Nous serons en mesure de maintenir le statu quo, tout en paraissant faire avancer le dossier. Nous produirons une consultation après l'autre, puis nous signerons un accord international après l'autre, et tout ira comme d'habitude.

Hadès gloussa de satisfaction.

– Vous êtes pires que moi… Euh, je veux plutôt dire que je soupire de joie. Continuez votre excellent travail, mon ami. Évidemment, je maintiens votre financement, et vous pourrez le signaler à tous vos amis qui sont des alliés potentiels.

Leroux s'inclina et quitta le hall d'entrée.

Derrière sa colonne, Athéna secoua la tête. Comment combattre cette perfidie sans intervention fracassante? Le temps qu'elle émerge de sa réflexion, Hadès avait disparu.

La déesse demanda à la réception s'il était possible de laisser un message pour monsieur Dispatère. La recherche de l'invité putatif ne donna cependant aucun résultat.

– Désolée, madame. Vous êtes sûre qu'il reste ici? Il n'est peut-être venu qu'au restaurant, suggéra la préposée.

Athéna sortit bredouille. Elle erra de nouveau. Elle déambula dans un marché où les vélos se disputaient la route davantage que les voitures. Des peintures murales à couleurs vives offraient un contraste enjoué avec le béton lézardé et les caisses empilées. Les odeurs émanant des commerces lui taquinaient les narines, évoquant des souvenirs de l'agora de sa ville bien-aimée d'Athènes : poissons, bougies, paniers, fruits… Elle nota l'arôme d'un agneau fraîchement abattu, toujours un sacrifice de bon augure.

Le soleil de l'après-midi baignait tout un chacun de lumière et de chaleur. Les quelques voitures sur la rue klaxonnaient impatiemment à l'intention des cyclistes et des piétons, s'attirant maintes répliques et gestes savoureux. Athéna croisa une voiture remplie de terre, dans laquelle on avait planté des arbres, des fleurs et des herbes. Le châssis affichait des spirales de couleur où l'on avait écrit qu'il s'agissait d'un « projet de réclamation véhiculaire communautaire ». Plusieurs panneaux de stationnement étaient couverts d'affiches et de graffitis. Décidément, il faisait bon se promener à pied dans ce quartier.

La façade d'un commerce affichait un portrait de Méduse couronnée de serpents. Athéna fit la grimace. *Encore elle.* Une petite notice écrite en lettres moulées expliquait « la légende de Méduse ». La déesse la lut tandis que le propriétaire venait lui offrir de l'aide. Elle se tourna vers lui, indignée.

– Quelles bêtises! Méduse ne s'est pas fait punir

parce qu'elle se jugeait la plus jolie. Tout le monde s'en balançait, de ce genre de vantardise sans importance. On l'a transformée en gorgone parce qu'elle passait son temps à se peigner les cheveux plutôt qu'à faire son boulot. Elle se pensait trop importante pour travailler comme la plupart des mortels, ce qui tapait sur le gros nerf des dieux. Elle se brisait constamment un ongle, ou se blessait le petit doigt, la pauvre. N'importe qui lui aurait fait la même chose.

Le commerçant esquissa un sourire.

– Je n'ai jamais entendu cette version, mais je sais qu'il existe toujours plusieurs variations de chaque mythe.

– En effet. Les gens adorent déformer à peu près tout.

– Vous voulez jeter un coup d'œil au magasin? Je vends des produits équitables. Prenez votre temps. Je m'appelle Abdoulaye, en passant.

Abdoulaye arborait des tresses rasta. Elles lui cascadaient le long du dos et s'agitaient comme un rideau lorsqu'il se déplaçait. Malgré la chaleur de la journée, il portait un très vieux t-shirt blanc avec un logo condamnant les armes nucléaires, par-dessus une chemise bleue à manches longues. Le peu de peau, brune, qui dépassait de ses vêtements laissait entrevoir des tatouages noirs. L'un d'eux représentait une araignée. Arachné, peut-être?

– C'est Anansi, dit-il en suivant son regard. J'adore tout le symbolisme entourant les araignées. Surtout qu'ici, Araignée est une grand-mère ou une aînée et, parfois, le Créateur. Évidemment, il y a aussi Arachné, la tisseuse qui a été transformée en araignée parce qu'elle se vantait d'être plus habile qu'Athéna. Ou est-ce une version différente du mythe que celle que vous connaissez ?

— Une autre déformation. Arachné a tissé un monde où on se moquait des dieux. C'était une façon de nous faire disparaître. Il est vrai qu'elle était très habile. Je crois qu'elle a réussi, à la fin.

— C'est une façon poétique de voir la situation.

Poétique. La déesse leva les yeux vers Olympe.

— Votre façon de raconter l'histoire fait d'Athéna un être mesquin et vengeur. C'est absolument faux. Elle est gardienne, guerrière, mentore et dirigeante. Prenez le jugement de Pâris. Il ne s'agissait pas d'un simple concours de beauté entre Héra, Aphrodite et elle. Le jugement visait à déterminer quelle déesse aurait préséance sur les autres, ce qui n'est pas une pacotille. Le rang compte pour beaucoup là où la juridiction n'est pas évidente. L'ordre hiérarchique précise les responsabilités. Aphrodite n'aurait jamais dû gagner. Elle a versé un pot-de-vin à Pâris, tout simplement. La vraie rivalité était entre Héra et Athéna. Héra est la femme de Zeus, mais Athéna est son enfant. Selon la prophétie, elle devait surpasser son père.

Abdoulaye fit un sourire narquois.

— Vous parlez de la mythologie grecque comme s'il s'agissait de la réalité.

Ces mortels ! songea la déesse.

— Ces histoires comptent beaucoup. Les gens devraient faire attention de ne pas les négliger.

— Eh bien, je suppose qu'elles nous éclairent sur nous-mêmes, proposa Abdoulaye.

Athéna se mordilla la lèvre pour ne pas éclater

d'impatience. Elle examina plutôt la marchandise : statues de bois, miroirs à cadres recherchés, bijoux faits de divers coquillages et de pierres semi-précieuses grossièrement ciselées, chocolat, café, cartes, musique, paréos bleu vif et vestes matelassées.

— Les profits de ces articles vont directement à ceux et celles qui les produisent, et non aux distributeurs. Nous nous assurons également que leur fabrication favorise le développement durable. Plusieurs magasins du marché font ce qu'ils peuvent pour réduire leur empreinte écologique, bien qu'il reste toujours des récalcitrants, qui sont habituellement des gens établis ici depuis une quarantaine d'années, époque où nous comprenions mal à quel point nous maltraitions la Terre.

Athéna observa son interlocuteur. Il était sincère. Si chaque mortel était comme lui, la Terre survivrait peut-être.

— Vous paraissez beaucoup vous préoccuper de la Terre. Pourtant, on dirait que l'état des choses va de mal en pis.

— Il ne faut pas perdre courage pour autant, affirma Abdoulaye. Ce n'est pas en se lamentant qu'on changera le monde. Il faut agir, même si c'est un pas à la fois. C'est ce que nous faisons au sein de mon groupe, les Écombattants.

Athéna leva les sourcils.

— Que faites-vous au juste ? Et quels résultats obtenez-vous ?

Abdoulaye soupira.

— Rome ne s'est pas faite en un jour. C'est frustrant, il est vrai, de ne pas voir d'amélioration significative.

Mais nous éduquons les gens et nous manifestons lors d'événements divers.

Athéna songea aux manifestants munis de pancartes au congrès de l'université.

– Comment savez-vous si les gens vous écoutent? Surtout les gens vraiment influents?

– Bonne question, rétorqua Abdoulaye. Je n'ai pas de réponse, mais je sais que si les gens comme nous se taisent, là, c'est sûr que personne n'écoutera, puisqu'il n'y aura rien à écouter.

– Bonne réponse, concéda la déesse.

– L'écologie paraît vous intéresser. Nous nous réunissons demain soir, pour discuter du colloque. Vous êtes la bienvenue, si vous voulez. C'est au Café de l'Iguane, rue Augusta, juste au sud de College, à vingt et une heures.

– Je verrai. Merci.

Elle acheta quelques breloques et quitta les lieux.

Athéna marcha vers le sud, puis vers l'est, lentement, observant tout sur son passage. Il y avait surtout beaucoup de béton, constata-t-elle.

Elle atteignit le bord de l'eau. Devant elle, le boulevard était large et arborait d'éblouissantes enseignes lumineuses en plusieurs langues. Près de l'eau, l'autoroute rugissait de mouvement. Athéna tourna vers l'est et longea la rive en contemplant les gratte-ciel, les bateaux et une poignée d'îles au loin.

Elle se rapprocha de l'eau. Des poissons morts flottaient sur le dos, empestant l'air ambiant. Poséidon aurait frémi de colère, même si cette eau douce n'était pas de son ressort. Des affiches avertissaient les piétons de ne pas nager dans l'eau brune, où se mouvaient des débris méconnaissables. Accrochés aux branches des arbres bordant la ruelle de la zone commerciale, des sacs de plastique voltigeaient au vent. Un oiseau en déchirait un et en avalait les lambeaux.

Au bord de l'eau, près d'un étang entouré de béton, une foule foisonnante entourait trois hommes devant une table où étaient empilés des hot dogs. Un quatrième homme à côté de la table cria «Allez-y!» et les trois premiers s'emparèrent des hot dogs pour les dévorer rapidement.

Bientôt le quatrième s'exclama:

— Bravo à notre champion, Joseph Dacon! Il a mangé les cinquante hot dogs devant lui en quatre-vingt-dix secondes!

La déesse se rapprocha du spectacle. L'homme qui s'exclamait portait un t-shirt avec les mots «Les concours de plus gros mangeurs sont tout un sport.» Elle fronça les sourcils. Comment osait-on comparer le fait de manger au lancer du javelot ou du disque?

Une voix d'homme la tira de sa réflexion.

— Y a de quoi préserver une centaine de cadavres, avec tous ces agents de conservation. Surtout les nitrites.

Elle fit signe que oui. Son interlocuteur était un Asiatique en excellente forme physique, au sourire épanoui. D'un certain âge, il portait un pantalon blanc et une chemise en jean. Son visage, orné de lunettes, semblait très familier.

— Je ne vois pas pourquoi on voudrait préserver les

cadavres, observa la déesse. Ils doivent bien pourrir éventuellement.

L'homme pouffa de rire.

– Je vois que vous avez l'esprit pratique. Moi aussi. Je compte me transformer en arbre suite à mon décès.

– Ah. Comme Daphné? Sauf qu'elle l'a fait bien avant sa mort, pour s'échapper d'Apollon. Il est pourtant charmant, vous savez.

Son interlocuteur leva le sourcil.

– Sans doute.

Un caméraman s'approcha d'eux.

– Monsieur Akimitsu, on a toutes les images qu'il nous faut, sauf que Joseph Dacon n'a pas voulu nous offrir un échantillon fécal pour faire évaluer son microbiome.

Akimitsu soupira.

– Ça se comprend. Ce n'est pas encore entré dans les mœurs. Il faut toujours évoluer.

Une jeune femme tourna la tête et eut le souffle coupé.

– Donald Akimitsu. Le vrai! Je peux avoir votre autographe?

Il sourit affablement.

– Je veux bien, mais c'est toujours mieux de ne pas gaspiller les arbres de cette façon.

– Vous avez absolument raison. Signez-moi plutôt la bedaine, et je ne la laverai plus jamais, question d'économiser de l'eau.

Il rit jaune et s'exécuta. Ravie, son amatrice le remercia en virevoltant avant d'aller retrouver ses compagnes.

Le présentateur s'adressa à Athéna.

— Je me sens un peu clown à faire la vedette, mais chaque fois qu'on me reconnaît à cause de mon émission ça me donne un peu d'espoir pour la planète. On ne sait jamais. Si j'ai souvent l'impression d'être une voix dans le désert, je sais qu'il ne faut pas lâcher. Au moins, les autographes, c'est mieux que de se faire lancer des sous-vêtements par la tête, même s'ils sont en coton biologique biodégradable.

Ah, oui, songea la déesse. Elle se souvenait l'avoir vu, à Olympe. Même que l'émission « C'est ma nature » avait beaucoup renseigné, et indigné, le panthéon. Malheureusement, l'état de la planète empirait toujours.

— La fin justifie les moyens, déclara-t-elle. Les dieux vous en remercient.

Il écarquilla légèrement les yeux et la salua avant de rejoindre son équipe de tournage.

Le gagnant du tournoi s'essuyait le front en discutant d'une voix animée avec un homme en costume noir. Athéna décela une odeur d'égout plus forte que celle du lac tout près. Encore Hadès.

Le dieu présentait un certificat à Joseph Dacon.

— Félicitations pour votre belle victoire. J'apprécie beaucoup les gens comme vous. Si vous avez des amis qui s'intéressent à une compétition d'équipe, n'hésitez pas à me le signaler.

Il passa derrière quelques poteaux et disparut de nouveau en un nuage de puanteur.

Merde, songea Athéna.

Elle reprit la route. Peu à peu, le ciel s'enflamma de couleur. Des particules de plomb, de zinc et de charbon épousaient les nuages pour refléter les rayons du soleil couchant en une explosion de teintes glorieuses. Les substances nocives pouvaient parfois être très jolies, réfléchit l'immortelle. Hadès avait raison de ce côté.

La nuit tomba, où quelques étoiles, masquées par un million de lumières de moindre importance, scintillaient dans les cieux.

⁜

Hadès-Dispatère jeta un coup d'œil autour de lui. Elle était partie. Même la déesse Athéna ne pouvait déjouer sa maîtrise de l'occulte et de la dissimulation.

Il se dirigea vers les terrains vagues de la zone portuaire, habités de navires gigantesques dont la rouille n'empêchait pas le passage lacustre. Un capitaine de marine l'y attendait, barbu et usé par le temps. Il salua le dieu, qui sortit une enveloppe volumineuse de son complet pourtant bien ajusté.

– Voilà, mon homme. Je tiens toujours parole, signala Hadès. Donc, comme convenu, à deux heures, tu vas chercher la cargaison de déchets électroniques désignée pour la supposée élimination sécuritaire, tu la charges sur le chaland, tu la couvres très soigneusement, tu te diriges au milieu du lac, tu t'assures qu'il n'y a personne, et tu y déverses le tout.

– Ça doit te faire un gros profit, marmonna le capitaine. Tu reçois combien de la ville pour l'élimination?

Hadès sourit d'un air condescendant.

– Ce n'est pas l'argent qui compte, pour moi. Mais ça, t'en inquiète pas.

Le capitaine haussa les épaules et marcha vers le nord.

Voilà. Encore cette odeur, mais en beaucoup moins forte. Athéna en chercha la source des yeux. Dacon? Leroux?

L'hôtel adjacent au congrès logeait le restaurant le plus huppé et le plus cher du pays, avait-elle appris. Dispatère et ses acolytes risquaient d'y revenir. Mais ô surprise, Athéna découvrit que l'homme qui dégageait le miasme était vêtu pauvrement. Le barman le dévisagea en levant le nez, probablement en réaction à sa tenue autant qu'à sa fragrance, songea la déesse. Visiblement agacé, l'homme s'enfonça la casquette sur le front, sortit une enveloppe et jeta plusieurs billets sur le comptoir.

– Tiens. Ça devrait suffire pour un whisky et un bifteck, non? On m'a dit que c'était le meilleur en ville. Je suis ici pour essayer ça.

Le barman changea de visage, s'empressant de servir son nouveau client.

Athéna observa le client boire et manger, puis le suivit lorsqu'il eut terminé.

II

– T'es sûr, Jean ?

– Oui, j'en suis sûr. Je sais pas comment elle a fait, mais elle n'avait pas de pièce d'identité puis, comme par magie, elle en avait une autour du cou. Ça me semble bizarre, mais pour une raison ou une autre, je ne trouvais pas ça tellement étrange à ce moment-là. C'est presque comme si elle m'avait hypnotisé. Ou peut-être que j'ai cru qu'elle l'avait sortie de sa poche. Sauf qu'elle n'avait pas de poche, si ma mémoire est bonne, ni même de sac à main.

Le chef de la sécurité soupira, flatta son crâne chauve et repoussa ses lunettes en train de lui glisser le long du nez.

– Ça explique pourquoi il y avait une personne de plus que le nombre d'inscrits, selon les données tirées des cartes à puces. Mais ça n'explique pas comment elle a obtenu un badge sans que son nom soit sur la liste. C'étaient des badges à haute sécurité. Et on les avait gardés sous clé.

– Ça devait être une contrefaçon.

– Si c'est le cas, c'était toute une contrefaçon !
Tu n'as pas vérifié l'hologramme et le fil métallique ?

– Oui. Les deux étaient là. Du moins, j'étais sûr de
les avoir vus. Mais si on m'a hypnotisé...

– Elle aurait tout un talent ! As-tu vérifié les prises
de la caméra qui filmait la table des inscriptions ?

– Pas encore. Nous venons tout juste de compter
les badges.

– Va les chercher.

Athéna apparut à l'écran, vêtue de son jean serré, de
son t-shirt à rayures et de ses chaussures noires.

– C'est vrai que c'est un pétard. Mais t'as pas dit
qu'elle portait un tailleur ?

– Mais oui.

Athéna disparut derrière le poteau pendant quelques
secondes, puis réapparut vêtue de la tenue décrite par
Jean.

Les hommes restèrent bouche bée. Le chef de la
sécurité fut le premier à briser le silence.

– J'ai jamais vu quelqu'un se changer aussi rapidement que ça, et en plein couloir. Comment elle
a fait, sans sac ? C'est pas de l'hypnose, c'est David
Copperfield, ou Alain Choquette !

– Ces gars-là n'avaient pas son physique, en plus.
Elle vendrait ses spectacles à guichets fermés pendant
des semaines.

– Ce que je comprends pas, c'est pourquoi. Personne
est mort. Rien n'a été détruit ou volé. Y a pas eu
d'explosion.

– Un représentant de l'Union européenne a souf-
fert d'une sorte de réaction bizarre après avoir parlé
à une journaliste, apparemment. Personne n'a fait de

rapport. On ne savait rien de la violation de sécurité.

– C'était du poison?

– Ça se pourrait, sauf qu'elle a manqué son coup si elle devait l'assassiner. Il est toujours bien en vie. Il s'est rétabli presque immédiatement. Les journaux en ont parlé un peu. À ce qu'il paraît, les résultats du dépistage toxicologique sont négatifs. On a conclu à un genre d'allergie, peut-être une réaction à quelque chose dans la salle, comme les tapis, la peinture ou les tuiles du plafond. On n'a jamais trouvé la source exacte. Peut-être qu'elle savait à quoi il était allergique.

– Si c'est le cas, ça serait une agression.

– En principe. Si ça vient d'elle. Elle est peut-être la suspecte la plus vraisemblable, mais ça sera quand même difficile à prouver, une intention de provoquer une réaction allergique.

– Il faut quand même la retrouver pour la violation de sécurité. Elle cherchait peut-être certains renseignements.

– En effet.

⁜

Thémis faisait les cent pas sur le plancher de marbre. Némésis l'observait en attendant qu'elle parle.

– Cette expédition devait mener à la production d'un rapport, pas à une agression.

– La moutarde monte souvent au nez d'Athéna. Cela fait partie de sa nature guerrière.

– Les mortels sont peut-être effrontés. L'humain qu'elle a couvert de pustules méritait certainement de se faire punir. Cela n'empêche que cet incident était trop visible. Nous ne devons plus nous révéler aux mortels. Ils nous entraîneront dans leurs querelles et cela divisera non seulement la Terre, mais le royaume même des dieux du même coup. C'est la raison d'être du pacte.

Némésis soupira.

— Il est impossible de ne pas agir du tout en présence des mortels. Si Athéna doit les observer, elle doit interagir avec eux.

Thémis se retourna et fixa Némésis d'un œil sévère.

— Elle est à deux doigts de nous compromettre. C'est inacceptable!

✣

Le détective André Chernac replaça les lunettes sur son nez puis émergea de la voiture. Il regretta immédiatement de n'être pas venu à pied. L'écran de chaque parcomètre avait été égratigné de façon à le rendre illisible. Il était donc impossible de voir si sa carte de crédit avait été acceptée, ou combien de temps il avait acheté. L'horaire en vigueur était caché par des slogans et des affiches. Bien sûr, on pourrait toujours invoquer ces circonstances pour refuser de payer ses contraventions. *Je parie que les écofanatiques n'ont pas pensé à ça*, songea-t-il.

Devant lui, un véhicule de la GRC laissait tourner son moteur à l'arrêt, malgré les affiches proclamant l'illégalité de l'acte. La sergente Yasmin Sabharwal sortit de la voiture armée d'un calepin pendant qu'André s'approchait de la boutique d'Abdoulaye.

— Quelqu'un a repéré la femme au faux badge ici,

selon certains témoins du quartier qui l'ont vue sur les caméras au congrès, précisa-t-elle.

– Elle n'aurait pas donné son nom au propriétaire, par hasard?

– Non. Mais il a mentionné qu'elle a beaucoup parlé de mythologie grecque et qu'elle paraissait férue du sujet. Il a pensé qu'elle était peut-être grecque, expliqua la sergente.

– C'est un parallèle. Le nom sur le faux badge était Athéna Promachos.

Yasmin consulta son téléphone intelligent, puis haussa le sourcil.

– Promachos veut dire «première guerrière», ou «celle qui se bat en avant». C'était un des sobriquets de la déesse Athéna dans la mythologie grecque.

– Ouais. C'est un alias, même si c'est assez poétique, et provocateur, aussi.

André secoua la tête.

– Qu'est-ce qui la motive?

Yasmin haussa les épaules.

– Plusieurs environnementalistes appellent la Terre Gaïa, observa-t-elle en consultant de nouveau son téléphone intelligent. C'est vrai que c'est le nom de la déesse grecque de la Terre, mais elle cuisinait pas exactement des petits-fours. C'était la fille de Chaos. Elle a donné naissance au dieu du ciel, Ouranos, et a ensuite engendré les Cyclopes et les Titans avec lui. Leurs enfants n'étaient pas des anges, mettons.

– Les divinités grecques étaient pires que les empereurs romains, à ce que je vois. Enfin, tout ça nous aide à établir un profil psychologique. C'est une femme sérieuse, artistique, agressive.

– Nous n'avons toujours pas retrouvé les manifestants du congrès. Tant que nous ne pourrons pas les questionner, nous ne pourrons pas établir de lien entre eux et elle.

– Il faut fouiller davantage. Elle était là. Elle a une formation très spécialisée de prestidigitatrice et elle se sert de ses aptitudes pour déjouer les systèmes de sécurité. Il y a là de quoi susciter tous les soupçons du monde.

– Je suis bien d'accord. Mais tout avocat digne de ce nom démolira ce genre de supposition.

– Bon. C'est tout pour l'instant. Nous vous appellerons dès que nous aurons des nouvelles et attendrons des vôtres.

André retourna vers sa voiture. Son pare-brise n'affichait pas de contravention. Quelqu'un y avait cependant placé une annonce: «Le Coin du joint. En affaires depuis... euh, on oublie». *Parfait*, songea-t-il. C'était l'exemple qui lui fallait pour son adolescente de dix-sept ans.

❖

L'homme à la casquette menait une vie ennuyante, ponctuée de verres de whisky et de tentatives de rencontre avec des femmes qui le rejetaient invariablement. Ce soir, typiquement, il avait sollicité quelques prostituées qui, dégoûtées, avaient exigé trois fois le tarif habituel.

Après quelques heures de ce manège, il retourna à sa voiture et démarra. *Évidemment*, se dit la déesse, qui était à pied. Elle scruta le stationnement. Çà et là, quelques chauffeurs marchaient ou titubaient vers leurs véhicules. Elle approcha le plus ivre d'entre eux, qui échappait ses clés sur le sol pour la troisième fois.

– Vous n'êtes pas en état de conduire, signala-t-elle. Je vous prends vos clés.

– Co… comment? Chialez-moi tranquille! rugit-il, les bras ballants.

Athéna cligna des yeux. Il s'écroula au sol et se mit à ronfler. Elle saisit les clés et repéra la voiture de l'homme à la casquette, qui filait vers l'ouest. Elle le prit en filature.

Une demi-heure plus tard, l'homme pénétra dans un vaste dépotoir. Athéna éteignit ses phares et roula au ralenti. Elle gara la voiture derrière une cabane brinquebalante.

Les voix de plusieurs hommes résonnaient en sourdine.

– On enlève le cuivre et l'argent avant? Y peut y avoir des métaux utiles dans ces affaires-là.

– C'est déjà fait. De toute façon, vous aurez votre dû. Allons charger tout ça.

Un immense camion attendait, les portes de la remorque grandes ouvertes. Au fond, près de la cabine, quelques boîtes vermoulues étaient entassées sur le plancher. Athéna aperçut des palettes en rangée un peu plus loin, prêtes à accueillir les déchets. Il ne restait que quelques minutes avant le retour de l'équipe. Elle soupira et alla se coucher sous les boîtes affaissées. Bientôt, elle fut complètement ensevelie de bouts de métal et de plastique. *Ce que je ferais pas pour ma mission!* maugréa-t-elle. *Apollon me doit un massage très lent et très luxueux.*

Le camion arrêté, Athéna sentit que la remorque au complet était soulevée par une grue. Elle perçut ensuite un ballottement. Le lac... Bientôt, le chaland s'arrêta, les portes s'ouvrirent et la déesse tomba dans les vagues noires de la nuit, précédée de restes d'ordinateurs, de téléviseurs, d'écrans, de téléphones et de périphériques divers. Petit à petit, tout sombra.

Athéna gagna la rive à la nage, en pestant. Au moins, les ecchymoses et les égratignures ne resteraient pas longtemps sur sa peau d'albâtre.

⁜

Le Café de l'Iguane arborait un décor tex-mex. En guise d'ornement principal, deux iguanes en papier mâché pendaient d'un tuyau de raccordement du plafond. Ils étaient décorés de lumières de Noël vertes et rouges, comme enroulés dans une toile d'araignée géante. D'autres ampoules vertes et rouges brillaient sur des tables bâties de planches de bois délavées et inégales.

Le mur de droite près de l'entrée affichait une liste de Margaritas : canneberge, melon, orange, pomme et fraise. Le long du mur s'étalaient des compartiments à banquettes au revêtement de vinyle gris craquelé avec un motif de serpent.

Abdoulaye était assis parmi un groupe de jeunes adultes, deux femmes et trois hommes, sous une photo qui montrait une mule en plastique à côté de trois cactus sur une plage. Il fit signe à la nouvelle recrue. Les autres, observa Athéna, la dévisageaient avec réserve.

Un des hommes, Charlot, portait un t-shirt le

proclamant libre d'antisudorifique. Il toisait Athéna presque comme par défi, les doigts tatoués de signes de la paix et d'éclairs. Il se tenait les jambes très écartées sur le banc, de façon à les presser contre celles des femmes qui l'entouraient. À côté de lui, une jeune bien habillée, aux cheveux raides et aux lunettes rondes, baissait la tête, les jambes croisées, pour consulter son téléphone intelligent. Elle se présenta distraitement: Christine.

Les trois autres, Philippe, Vincent et Noëlle, rappelaient davantage le caractère ouvert, détendu et souriant d'Abdoulaye. Ce dernier lança la discussion:

— D'après ce que j'ai compris, le congrès ne change pas grand-chose à la situation. Les cibles n'ont pas changé, et les pays signataires du dernier accord ne les ont même pas atteintes. Donc, discutons des actions à entreprendre.

Charlot prit la parole, frappant du poing sur la table.

— Il faut qu'on fonce, qu'on se fasse remarquer. On s'attache à des postes d'essence partout en ville et on refuse de bouger pendant toute une journée, pour protester contre les changements climatiques dus au pétrole.

Noëlle secoua la tête.

— Ce truc-là a déjà été fait, en Angleterre. Les manifestants s'étaient menottés à des pompes à Manchester pour signaler leur opposition à la fracturation hydraulique. Ils se sont trompés de compagnie. Ça n'a pas très bien passé.

Christine leva le menton.

— On pourrait faire passer l'humanité au tribunal

pour l'accuser de crimes contre la Terre. La liste des méfaits serait longue.

– Trop plate, rétorqua Charlot.

– On se déguise en déchets et on fait une parade impromptue dans la rue Yonge en pleine heure de pointe, risqua Philippe.

– Ça va si tu veux te faire écraser. Les automobilistes de Toronto sont déjà assez fâchés comme ça, répondit Abdoulaye.

Athéna s'éclaircit la gorge. Tandis que tous les regards se braquaient sur elle, elle décrit son épopée dans le lac et le déversement illégal.

– J'ai les coordonnées. On peut les transmettre aux policiers et aux médias.

Charlot bondit avec fougue.

– Non. Il faut éviter le ridicule potentiel. Désolé, mais je ne te connais pas. Qui sait si tu veux pas nous saboter en nous signalant des faux incidents? Je veux aller vérifier cette histoire. J'irai seul.

Athéna dévisagea le mortel qui osait douter de la parole d'une déesse. Il puait de plus en plus, jugea-t-elle.

Abdoulaye paraissait désolé de la réaction de son collègue, mais ne le contredit pas.

– Non, répondit-il après quelques instants de réflexion. C'est moi qui irai vérifier.

Les yeux de Charlot lançaient des éclairs. C'était un mâle qui voulait dominer plutôt que suivre, nota Athéna. Ou bien y avait-il autre chose dans son regard…?

Les autres Écombattants se rangèrent de l'avis d'Abdoulaye.

– C'est une bonne idée, acquiesça Vincent. Tu es la meilleure personne pour le faire, mais n'y va pas seul, je t'en prie. Je veux t'accompagner. Athéna, viens nous montrer ce que tu as trouvé.

Les trois partirent louer de l'équipement de plongée le long du boulevard Lakeshore et un bateau à Harbourfront, puis roulèrent jusqu'au site, à une quarantaine de kilomètres de là. Athéna plongea d'abord, suivie d'Abdoulaye et de Vincent.

L'eau était profonde, sombre et très froide. À une centaine de mètres sous la surface, on pouvait voir le monticule formé la veille. Abdoulaye le montra du doigt, et Vincent hocha la tête. L'amas était considérable. Ils prirent quelques échantillons.

La déesse se rendit compte qu'ils n'étaient pas seuls. Une silhouette imposante fondait sur eux, armée d'un fusil à harpon. Athéna agita les bras frénétiquement, mais l'ombre avait déjà blessé Vincent. Furieuse, la déesse se précipita pour lui arracher son masque. C'était Charlot. Il se débattit vigoureusement, mais Athéna fut impitoyable. Tandis que Vincent saignait dans les bras d'Abdoulaye et fonçait avec lui vers la surface, elle désarma son adversaire, lui arracha sa bouteille d'oxygène puis l'observa se débattre et sombrer vers le fond du lac.

Une fois que le corps cessa de bouger, elle le traîna le plus loin possible et l'enfouit sous le sol lacustre. Puis elle nagea vigoureusement jusqu'au bateau, où Abdoulaye pansait la plaie béante de son compagnon. Il poussa un soupir de soulagement en voyant Athéna saine et sauve.

– Peux-tu m'aider à resserrer ça? Il faut faire vite. Mais qui nous a attaqués?

– Je l'ai vu. Je regrette, mais c'était Charlot, répondit la déesse. Il s'est enfui, mentit-elle. J'ai tenté de le suivre mais je n'ai pas réussi.

– T'as du courage. Tu l'as désarmé?

– Oui.

– Tu m'as sauvé la vie, alors. Merci.

Vincent râlait. Le harpon l'avait atteint à la côte.

– J'ai peur qu'il se soit fait percer un poumon, chuchota Abdoulaye.

Un hélicoptère orange apparut au-dessus d'eux. Une civière en descendit, suivie d'un ambulancier, qui s'élança sur le pont pour examiner Vincent.

– Je crois qu'on peut le stabiliser, déclara-t-il, tout en lui prodiguant des soins et en l'attachant pour la montée.

Après le départ de l'hélicoptère, Athéna et Abdoulaye se rendirent à l'hôpital St. Michael's, où on avait amené Vincent. Abdoulaye faisait les cent pas dans la salle d'attente de l'urgence tandis qu'Athéna se tenait immobile près de lui. Enfin, un médecin vint les trouver:

– Pouvez-vous joindre la famille de votre ami?

– Ses parents sont à Vancouver. Je les ai appelés, répondit Abdoulaye. A-t-il survécu?

– Oui. C'est tout ce que je peux vous dire pour l'instant, déclara le médecin. Il est aux soins intensifs.

Athéna ferma les yeux, l'air de méditer.

Deux policiers vinrent récolter les détails de l'incident. Pendant qu'Abdoulaye leur racontait ce qu'il savait, Athéna disparut.

L'agression et la découverte des déchets firent les manchettes : « Le lac Ontario abrite-t-il un dépotoir illégal ? En plein congrès mondial sur l'environnement, on trouve des déchets toxiques à Toronto. Aux nouvelles de dix-huit heures. » Plus tard, le bulletin de vingt-trois heures rapporta que la victime faisant partie de l'équipe d'enquête avait survécu et se rétablissait, mais que l'agresseur était introuvable.

⁂

Le fait de marcher toute la nuit l'avait renfrognée de nouveau. Les voleurs, fripouilles, vendeurs de drogue et souteneurs s'acharnaient à la déranger. « Une jolie femme comme toi toute seule ici ? Viens travailler pour moi ! » « Hé, tu veux essayer quelque chose de super ? Ça va te péter la tête ! » « Donne-moi ton portefeuille ! J'ai un couteau ! » « Vous avez de la monnaie ? Un dollar, madame ! Seulement quelques sous… »

La déesse contourna avec précaution les restes d'une caisse de choux éparpillés dans une ruelle. Le matin s'annonçait blafard et tranquille. Elle étudia ses jambes : ses bas de nylon étaient à présent déchirés et sa jupe fripée. Il était temps de changer de tenue. Au-dessus d'elle, un grand panneau présentait une rousse vêtue de vêtements sport. D'un clignement d'yeux, elle se retrouva fièrement affublée d'un pantalon vert en coton, d'un chandail à col roulé et d'une jolie casquette.

Elle entendit derrière elle un lent applaudissement.

Elle reconnut Charlot, mais il était plus glabre qu'avant. Ses yeux vitreux clignotaient à peine. Il se déplaçait comme une marionnette, la peau mangée ici et là par des morsures de poisson.

— Ma chère, tu es dégoûtante de beauté. Mais moi, je suis dégoûtant par essence.

Athéna croisa les bras.

— Pourquoi posséder un homme, Hadès? Et un cadavre, de surcroît? Tu pourrais choisir n'importe quelle forme. Et monsieur Dispatère, alors?

— Je suis le roi des morts, et voilà un mort qui a au moins tenté de me servir, avant ton ingérence inexcusable.

— Mon ingérence? Tes efforts ne sont quand même pas passés inaperçus.

— Il le faut bien. Je veux créer des images indélébiles dans la mémoire des humains. Les plus beaux souvenirs d'enfance de millions de gens se perdent. Comme cette bouffée de soufre qui vous prenait à la gorge tôt le matin à Sudbury dans les années 1970. Les magnifiques pluies acides des années 1980, qui se mêlaient aux lacs où il faisait si bon nager, et irriguaient les champs des fermiers. Les dépotoirs de quartier, où chaque bille cassée était un trésor. Tous disparus! Cette réalité faisait pourtant partie de la culture, du vécu des humains. Des points de référence qui auront stimulé la solidarité comme en tout bon temps de crise, quoi. Il a fallu faire preuve de créativité pour les remplacer. Les algues bleues, enfin, c'était du génie! J'ai réussi à colorer l'eau pendant une saison entière à Toledo, en Ohio, et à contaminer la plage de la Pointe-Pelée, mais j'ai dû y réfléchir.

— Les mortels trouveront le moyen de nettoyer ces algues. Nous les guiderons et les inspirerons.

Charlot-Hadès esquissa un rictus.

– Je n'en doute pas, ma chère, mais je trouverai autre chose. Trêve de bavardage, je dois travailler. Ne t'inquiète pas pour Dispatère, il est toujours parmi nous. Au revoir, ma jolie, même si ton odeur est fade et sans intérêt.

❖

À peine Athéna constatait-elle la disparition du dieu qu'une autre voix l'assaillit :

– Quelles nouvelles complications provoqueras-tu encore, ma nièce ?

Thémis. Interloquée, Athéna se retourna pour lui faire face.

– Estimée grand-tante. Des complications ? Je suis ici en mission au nom des dieux, et non pour troubler les eaux.

– Et pourtant, les eaux sont troubles. Les mortels suivent tes traces.

Athéna fronça les sourcils.

– Nous n'avons qu'à leur donner à boire les eaux du fleuve Léthé, pour qu'ils oublient ce qu'ils faisaient.

– Les eaux de Léthé ne doivent jamais être utilisées contre les mortels avant l'heure de leur trépas. Tu le sais, pourtant.

Les yeux d'Athéna lancèrent des éclairs.

– Hadès fait des siennes ! Et les mortels ne devineront pas la vérité.

Thémis l'interrompit d'un geste impérieux.

– Je sais. Ils nous prennent pour de simples légendes. Je comprends que leur effronterie te fâche.

Elle me fâche tout autant. À l'époque, c'était un rien que de punir les mortels, mais ces jours sont révolus. Leurs technologies font presque d'eux des dieux, aujourd'hui. Ils s'en servent pour dévaster la Terre et pourraient nous détruire à notre tour. Ils s'approprient nos pouvoirs pour atteindre leurs propres objectifs. Nous risquons d'y laisser notre suprématie. De son côté, Hadès a tort et il ne faudrait pas qu'on l'imite.

Athéna croisa les bras.

— Que dois-je donc faire, ô, Thémis?

— Ne déploie pas tes pouvoirs. Tolère. Ignore. Trouve d'autres moyens de recueillir des renseignements. Aucun mortel ne vaut le sacrifice des dieux de l'Olympe.

Athéna s'inclina, avalant son dépit.

— Je me plie à vos ordres.

— Il faut s'abstenir de punir par la foudre.

Thémis s'envola en une bouffée de fumée et de brouillard.

Athéna serra les poings. Pas de foudre? Ne pas châtier les mortels, même les plus impertinents? C'était là un plus grand défi que la bataille de Troie. Pourquoi se comporter en mortelle alors qu'elle était une déesse et qu'elle régnait sur la Terre?

⁂

— Tu crois vraiment qu'on devrait? On ne risque pas de l'avertir, plutôt que de la débusquer?

— Je crois qu'il faut essayer, expliqua la sergente Sabharwal. Nous avons perdu sa trace. Les images des caméras de sécurité sont notre meilleure chance d'obtenir des renseignements du public.

– D'accord. Mais je préfère ne pas montrer la partie pendant laquelle elle a changé de tenue, ajouta Chernac. C'est un peu déconcertant, et je m'inquiète d'être inondé d'appels nous racontant qu'il s'agit d'une extraterrestre métamorphosante, ou quelque chose du genre.

– Absolument. On ne la montre qu'une fois dans son tailleur. On peut retoucher l'image pour qu'elle soit plus précise.

Peu après le téléjournal de dix-huit heures, dans lequel la gendarmerie demandait au public de l'aider à retrouver l'espionne présumée Athéna «Premier Coup» Promachos, les lignes téléphoniques de la GRC furent inondées d'appels de citoyens bien intentionnés : pas moins de la moitié de la population du Canada l'avait aperçue dans son quartier.

À Toronto seulement, Athéna avait été repérée 17 549 fois. Elle était paraît-il capable, simultanément, d'acheter un sandwich rue Dundas et un autre rue Bloor, de prendre le tramway de la rue Queen, de jouer une partie de golf à Thornhill, de promener son chien à High Park, de faire un tour en vélo près des falaises de Scarborough et de faire de l'auto-stop à Etobicoke. *Qui serait assez fou pour faire du pouce à Etobicoke?* songea Yasmin tandis qu'elle fouillait dans les piles de transcriptions.

✛

Des Écombattants, il ne restait plus qu'Abdoulaye, Philippe, Christine et Noëlle. Vincent était toujours en convalescence et Charlot, en cavale.

Dans le café de jeux de la rue Queen qui leur servait de lieu de rencontre, Christine avait lancé une partie de Scrabble écologique. Elle déposa les lettres du mot «bisphénol».

Noëlle la mit au défi.

— Il faut le «A», et c'est une lettre séparée. Je conteste ce mot.

Christine fit la moue.

— Et Philippe, et Abdoulaye? Vous êtes d'accord? C'est pas dans le dictionnaire.

Les deux se rangèrent de son avis.

— La quantité de mots possibles est déjà assez restreinte comme ça. Laissons.

Noëlle haussa les épaules.

— Bon. J'insisterai pas, même si tu gagnes à tout coup. On dirait que tu connais tous les polluants du monde, dit-elle avec un clin d'œil.

Christine sourit.

— C'est pour ça que je suis des cours de chimie : pas pour gagner au Scrabble, mais pour connaître tous les polluants.

Athéna n'avait pas donné signe de vie, remarqua Philippe. Christine soupira.

— Vous n'avez pas entendu parler de la femme du congrès? C'est elle. Pas moyen de se tromper. Elle nous nuira, je le sens.

Abdoulaye s'insurgea.

— Elle m'a sauvé la vie, et sans son intervention, Vincent serait mort. Je me fous de ce qu'elle ait pu déjouer les mesures de sécurité.

Christine secoua la tête.

— Écoute, je comprends que tu te sentes obligé. Sauf

que même les criminels peuvent faire un bon coup. Ça ne les innocente pas de ce qu'ils pourraient avoir fait autrement. Tu lui fais confiance sans rien savoir à son sujet. D'où vient-elle? Qu'est-ce qu'elle fait ici?

— Je suis excellent juge de caractère, et mon instinct me dit qu'elle est une bonne personne, rétorqua Abdoulaye. Et elle a découvert le déversement illégal de ce Dispatère.

— Elle a peut-être les mêmes objectifs que nous. Ce sont ses moyens qui m'inquiètent, répondit Christine.

Philippe intercéda.

— Tant qu'elle est partie et qu'on n'a aucun moyen de la joindre, laissons-la faire. On a d'autres chats à fouetter.

Noëlle renchérit.

— Comme, par exemple, trouver ce Dispatère, et empêcher d'autres désastres. Aux dernières nouvelles, il était introuvable et peut-être même fictif. Pas moyen de lui faire payer ou nettoyer sa décharge illégale.

— Athéna a parlé d'un restaurant où il rencontre ses comparses, ajouta Abdoulaye. C'est le plus cher de la ville. On pourrait peut-être commencer par là. S'il a changé d'identité, il n'aura pas forcément changé de mœurs.

— Le Sanssouci? On nous laissera jamais entrer! lança Philippe.

Tous les regards se tournèrent vers Christine et sa tenue soignée d'écolière sérieuse : jupe fourreau et bas de nylon, blouse blanche, escarpins noirs assortis à son sac de cuir.

— Moi? Et je cherche quoi, ou qui, exactement?

Le barman essuyait quelques verres dans la salle vide. Christine s'assit sur un tabouret.

— Vous avez du Montrachet?

— Oui, madame. Domaine Jean-Marc Morey, ça vous convient?

Elle acquiesça, et le barman lui versa un verre. La jeune femme poussa un soupir et posa le menton dans le creux de sa main.

— Mon père est mourant. Je dois trouver mon oncle. On m'a dit qu'il venait ici assez souvent. Il a d'épais cheveux blancs et se promène toujours avec une canne magnifique en ébène à pommeau d'or. Est-ce que vous l'auriez vu, par hasard?

— Oui, oui. Il était ici hier. On le voit souvent.

— Monsieur Aïdôneus, tu veux dire? lança une des serveuses en passant. Si tu le cherches, il a une réservation pour souper. Je peux lui laisser ton nom et ton numéro.

— J'aimerais mieux le surprendre.

La serveuse consulta le registre.

— Il a réservé pour dix-neuf heures.

— C'est après notre changement de quart de travail, signala le barman. Tu restes, ou tu reviens? Je peux te donner l'addition?

— Oui, oui.

Christine écarquilla les yeux à l'arrivée de la note. *C'est pour la cause*, se répéta-t-elle intérieurement, se retenant d'hyperventiler.

⁂

La militante retourna au restaurant en début de soirée. Dispatère, dit Aïdôneus, était déjà attablé. La nouvelle préposée au bar rangeait les verres à vin.

– Un café, s'il vous plaît, demanda Christine.

Dispatère était assis contre un mur, en pleine conversation avec une femme élégante dans la cinquantaine.

Discrètement, la jeune femme régla le dispositif d'amplification qu'elle portait à l'oreille. Le couple discutait de panneaux solaires.

– Je peux vous en refiler dix mille à très bon marché, affirmait le distingué vieillard. Vous pourrez les revendre à bon prix. On n'y verra que du feu. Vous serez introuvable avant qu'on ne découvre les fuites de plomb et de cadmium ou les déversements toxiques à l'usine de fabrication…

Abdoulaye félicita chaleureusement Christine après son compte-rendu.

– L'échange se fera dans la zone portuaire ?

– C'est ça. Les panneaux seront rangés dans des conteneurs.

– On avertit le ministère de l'Environnement, et on apporte les caméras et les amplificateurs. Dispatère ne se sauvera pas cette fois.

Le jour suivant, la nouvelle de l'interception de panneaux solaires contrefaits et de l'arrestation du fabricant, accusé d'avoir déversé des déchets toxiques dans les rivières environnantes, fit sensation dans les médias. Donald Akimitsu demanda aux Écombattants une copie de leurs enregistrements. Le ministère allait imposer des amendes considérables. Même la Gendarmerie royale du Canada annonça qu'elle intenterait des poursuites. Malgré tout, l'instigateur de la transaction, un certain Aïdôneus, avait déjoué tous les efforts pour le retrouver.

❖

– Oui, allô ?

André Chernac était sur le point de quitter le bureau pour enfin se reposer avec une bonne Maudite devant la télévision. Ça sera pour plus tard, soupira-t-il.

– Ah, oui. Christine Lagacé. Votre groupe est le héros du jour, certainement. Merci de m'avoir rappelé. Bien sûr, on peut discuter d'Aïdôneus, si vous avez des pistes. J'ai d'autres questions, pour ma part. Vous étiez au congrès sur l'environnement, n'est-ce pas ? Connaissez-vous par hasard une certaine Athéna Promachos ?

❖

La déesse avait marché si loin qu'elle se trouvait dans l'est de Scarborough, au sud du parc Guild. La plage et les falaises étaient désertes.

– Tu fais des petits, ma nièce.

Athéna se retourna pour faire face à Hadès, qui, cette fois, avait revêtu les traits d'un artiste. Il portait sur son dos une sculpture abstraite faite de débris de plastique et de métaux divers.

– En effet. Je n'aurai bientôt plus rien à faire ici-bas, rétorqua-t-elle.

– Ton espoir est prématuré. Ils ne sont que d'infimes groupuscules à lutter contre des océans de glorieuse pourriture. J'ai gagné. Avoue-le.

Athéna serra les poings.

– Assez! Tu te permets de t'ingérer dans la vie des mortels. Cela ne peut rester sans réponse.

Elle lâcha un éclair qui vaporisa la sculpture, n'en laissant qu'un petit nuage puant.

Hadès bondit de rage.

– Espèce de chipie! Toi et tes simagrées de déesse idéale! Mon art est pourri. Je suis simpliste et sans scrupules. Je suis sale. Je pue. Je vous vois tous vous boucher le nez chaque fois que j'entre en scène. J'en ai soupé! tonitrua-t-il. Vous êtes tous des snobs, toi et le panthéon. J'ai pas besoin de votre avis, de votre compagnie ou de votre attitude condescendante.

Il agita sa canne. Une pluie d'immondices se matérialisa au-dessus d'Athéna et s'abattit sur sa tête et ses épaules. Elle fit la grimace en s'essuyant, et étendit les bras. Les immondices se transformèrent en colombes qui s'envolèrent au loin.

Hadès ricana.

– On ne pourra jamais t'accuser d'être originale.

Il secoua la tête, et de sa canne émergea une lueur verdâtre qui fit reluire le sable environnant. La peau d'Athéna brûla et tomba en loques. Elle mit plusieurs minutes à s'en remettre.

– Tes déchets radioactifs me laissent dans l'indifférence la plus totale, rétorqua-t-elle, avant de faire surgir du lac une multitude de poissons armés de longues algues, qui servirent à ligoter le dieu des Enfers. Il s'en dégagea aisément.

— On peut jouer à ça toute la journée, si tu veux, lança-t-il en se dissipant dans un brouillard infect qui troua l'égide d'Athéna. Moi, je préfère m'amuser à changer le climat.

Il faisait soudain très chaud sur la plage, où des monticules de plastique grandissants emprisonnèrent bientôt Athéna. Elle fit apparaître des milliards de bactéries mangeuses de plastique, puis se libéra.

— Si tu songeais à te soustraire à mon regard, je te repérerai assez facilement tant que tu resteras dans les parages. En effet, tu pues! siffla-t-elle.

Hadès en fut si fâché qu'il ne put s'empêcher de réapparaître, rouge comme une écrevisse. *Ah*, se dit la déesse. *Voilà sa faiblesse. Lorsqu'il est vraiment hors de lui, il contrôle moins ses pouvoirs.*

— Et tu as raison. Tu es sale. Nous savons tous au panthéon que ce n'est pas vraiment parce que tu le veux, mais parce que tu es myope et maladroit, renchérit-elle. Je ne voudrais pas voir ta cuisine ou ta salle de bains.

Hadès hurla de dépit.

— Vous êtes tous des abrutis!

— Il a bien fallu que tu kidnappes Perséphone. Elle ne t'aurait jamais touché autrement!

— Ahhhhhhh! Espèce de salope! tonna-t-il, dans une explosion de haine.

Le corps du dieu devint visqueux et oscilla dans tous les sens. Il tenta de se contenir, mais sa propre substance lui échappait des mains.

Athéna pouffa de rire.

– C'est toi, le perdant. Avoue-le toi-même.

Seule une épouvantable grimace restait visible là où, un instant auparavant, se tenait le dieu des ténèbres.

– C'est pas fini. Je reviendrai. Vous ne m'aurez pas…

Sur ce, Hadès fondit pour de bon dans le décor, laissant derrière lui une odeur de viande avariée.

Après quelques secondes, l'air commençait à sentir nettement meilleur, songea Athéna, le sourire aux lèvres.

⁕

– La piste s'est complètement arrêtée là. Personne n'a rapporté d'information vraisemblable en seize heures.

La sergente Sabharwal se massait le front en écoutant parler le caporal Morales, puis le regarda.

– Crois-tu qu'elle a pu changer d'apparence physique ?

– Avec de la chirurgie esthétique ?

– Ça prendrait du temps. Il faudrait qu'elle trouve un endroit où se cacher pendant son rétablissement. C'est possible, mais il existe des techniques de camouflage plus faciles.

– Le maquillage, les prothèses, la teinture pour les cheveux, les lentilles cornéennes colorées. Une nouvelle garde-robe.

– Justement.

– Si c'est une professionnelle, elle aurait déjà tout acheté, à différents endroits, soit en ligne, soit par l'intermédiaire de quelqu'un d'autre.

Yasmin soupira.

– Et si c'est le cas, autant chercher une aiguille dans une botte de foin !

– Elle aurait probablement utilisé une carte de crédit volée ou fausse. Cela dit, ça prendra un an avant de trouver des correspondances entre les rapports.

Le téléphone sonna et le caporal y répondit, puis se tourna vers la sergente.

– C'est le détective Chernac. Nous avons la confirmation qu'Athéna Promachos est associée aux manifestants.

III

De retour au centre-ville, Athéna arpentait la rue College. Elle jetait un coup d'œil aux vitrines des magasins et des restaurants, observait les passants, écoutait le fracas métallique des tramways et le martèlement des chaussures à semelle dure sur le trottoir.

Elle voyait tant de richesses ici, bien davantage qu'il n'y en avait jamais eu dans l'agora d'Athènes. Il y avait ici tant d'âmes occupées à manger, aimer, fabriquer, espérer, prier, croître, vouloir... Des âmes à la fois faibles et fortes. Trop d'âmes.

Il y en avait trop pour que toutes survivent, et trop pour que toutes meurent d'un coup, avec ou sans Hadès. Les humains étaient parfaitement capables de tout détruire seuls, mais ne le feraient pas, croyait-elle.

Il fallait réfléchir et trancher la question.

Comment?

Elle sortit une drachme. *Pile, nous les épargnons. Face, nous les détruisons.* Était-ce là un recours plus injuste qu'un autre?

La pièce de monnaie décrivit un arc parfait dans les airs.

Une main la saisit. La main était gantée, et rattachée à une manche verte et jaune à jabots. La manche faisait partie d'un costume de clown.

— Salut, salut, salut!

Un faux rire mélodieux retentit d'une large bouche très rouge.

— Cette pièce de monnaie m'appartient, observa la déesse.

— Vraiment? Je croyais que tu me la jetais. J'en aurais vraiment besoin, tu sais. Tu veux quand même pas faire pleurer un clown?

— Tes émotions ne me concernent pas.

Le clown soupira et lui présenta la pièce dans la paume de sa main.

— Bon, ça va. Je plaisantais, tout simplement. Faut bien que je gagne ma vie. C'est pas facile de jouer dans la rue, si tu veux savoir. C'est quoi ce machin-là? Ça n'a pas l'air d'une pièce canadienne.

— Tu as vu juste. Personne ne s'en sert ici.

— Ah? Et ça s'appelle comment?

— Une drachme. Elle vient de Grèce.

— Elle a l'air vraiment ancienne. Et c'est de l'or. Je gage que ça vaut cher.

— Je ne saurais dire. Sa valeur ne m'intéresse pas.

— Personne n'est trop riche pour lever le nez sur de l'argent. Si j'étais toi, j'irais la faire évaluer.

— Oui. Merci.

Elle s'éloigna. Le lancer de la pièce n'était sans doute pas la meilleure façon de décider du destin des humains, après tout.

Le clown la regarda disparaître parmi les piétons, puis secoua sa manche. La drachme retomba dans son gant.

— Youp, youp, youp! Toi et moi, on a rendez-vous chez le brocanteur. Bonjour, mon souper! J'en aurai peut-être même assez cette fois pour du homard.

✣

Le gendarme Bernard Saint-André mit fin à sa conversation téléphonique.

— Caporal, c'était un brocanteur de la rue Queen Est. Il dit qu'un gars lui a apporté une pièce de monnaie rare qui vaut dix mille dollars.

Morales leva les sourcils.

— Dix mille? Je devrais changer de passe-temps.

— Au début, le propriétaire savait pas ce que c'était, alors il a donné cinquante dollars au gars. Il l'a fait évaluer après. C'est une pièce de la Grèce antique.

— Je gage qu'il espère que le gars pourra pas la racheter. D'où elle vient?

— Justement, le propriétaire nous appelle parce qu'il croit qu'elle a été volée. Il connaît le gars qui la lui a apportée. C'est un vrai clown.

— Ah oui?

— Littéralement. Le gars joue dans la rue. Il se promène déguisé en clown. Un dénommé Louis Vanant.

— On a une adresse?

La porte de l'appartement, situé dans un immeuble sans ascenseur de la rue Augusta, était grande ouverte. Une musique à casser les tympans retentissait depuis le salon, faisant vibrer les murs violets. Le caporal Morales s'écria.

– Louis Vanant? Nous cherchons Louis Vanant.

Un homme en tenue complète de clown s'élança d'une des chambres à coucher vers la porte. Bernard Saint-André le prit par un bras et le caporal, par l'autre.

– Nous voulons simplement vous poser quelques questions, M. Vanant. La pièce de monnaie que vous avez vendue pour cinquante dollars en vaut dix mille.

Le clown pâlit sous son maquillage.

– Comment ça?

Bernard fit un sourire narquois.

– C'est ça. Dommage que vous ayez tout dépensé, car vous ne pourrez pas la ravoir.

Louis Vanant cherchait une réplique en s'agitant avec fureur. Le caporal Morales l'admonesta.

– Attention! Vous voulez pas nous faire de mal, quand même. Calmez-vous. Où avez-vous trouvé la pièce de monnaie?

– Je l'ai obtenue en jouant.

– Ah, oui? C'est un assez gros prix pour un jeu de clown, vous trouvez pas? Qui donc a été assez généreux pour vous la donner?

– Je lui ai pas demandé son nom. Elle était grecque. Sa pièce était une drachme.

– Alors elle l'a lancée dans votre chapeau?

– Elle l'a jetée en l'air et je l'ai attrapée. J'ai tenu pour acquis qu'elle me la donnait.

– Vous êtes sûr de ça? Elle avait l'air de quoi, cette dame grecque?

– Elle était vraiment belle. Elle portait des pantalons verts, je crois.

✢

Le caporal Morales entra à la hâte.

– Sergente, nous avons un tuyau. Quelqu'un a lancé une drachme en or solide à un clown qui jouait dans la rue. La pièce de monnaie date de l'an cinq cent avant Jésus-Christ et vaut dix mille dollars. Devinez quel visage il y avait dessus ?

– La déesse Athéna ?

– Exact.

– Qu'est-ce que c'est, cette histoire ? C'est un message, ou une signature de quelque sorte ?

– Selon nos renseignements, le clown aurait pu la voler. Il dit l'avoir attrapée au vol.

– Bon. Un autre morceau du casse-tête : elle finance ses activités par la contrebande d'artéfacts qui reflètent son obsession de la culture grecque antique.

– Les pièces de monnaie sont un choix rationnel. Elles sont assez faciles à dissimuler.

– Justement, le mot clé est «dissimuler». Pourquoi la jetait-elle en l'air ? Y a des tas de détails sur cette femme qui ne sont pas logiques.

– Au moins on a davantage de renseignements. On sait qu'elle est restée en ville. On l'a vue à l'angle de College et Bathurst. Elle ne pourra pas quitter le pays sans qu'on le sache. On a des points de contrôle absolument partout.

– Ça serait plus simple si elle tentait de quitter la ville. On pourrait peut-être l'attraper.

Athéna se dirigea vers Chinatown, et tourna sur Dundas. Elle se tenait en face d'une énorme galerie d'art. Une statue géante qui représentait Zeus brandissant un éclair annonçait une exposition à venir sur les statues de la Grèce antique. Ce Zeus-là était beaucoup plus mince que le vrai dieu, avec un nez plus petit et une peau parfaitement lisse. Ici, les hommes comme les femmes se rasaient le corps. Drôle de pratique… Athéna s'y était conformée pour mieux passer inaperçue, mais n'en voyait pas l'utilité.

Au détour d'une rue, Athéna vit plusieurs autobus en attente de départs pour différentes destinations : New York, Sudbury, Ottawa, Vancouver, Tampa Bay. À bien y réfléchir, ne devrait-elle pas quitter cet endroit ? Il serait compliqué de traverser les frontières sans utiliser ses pouvoirs, mais elle pourrait peut-être voyager assez loin pour semer ses poursuivants.

Elle fouilla ses vêtements et trouva les drachmes. Il en manquait une. Elle fronça les sourcils. Le clown l'avait subtilisée, évidemment.

Il lui faudrait de l'argent, comme aux mortels. Qu'avait dit ce clown ? Que les pièces de monnaie pouvaient avoir de la valeur ? Elle trouva un comptoir de change près de la gare d'autobus.

— Faites-vous l'échange de pièces de monnaie ? demanda-t-elle.

— Non, madame. On ne peut pas échanger les pièces. Si vous cherchez à les vendre, il y a un brocanteur pas loin. Je peux vous donner l'adresse.

L'homme derrière le comptoir examina la pièce

puis fixa Athéna avec perplexité.

– Une autre personne est venue ici aujourd'hui avec une pièce semblable. On n'en voit jamais, habituellement. Y a-t-il un congrès en ville?

Le clown, songea la déesse.

– Je ne sais pas. Je n'en ai pas vu. Combien pouvez-vous me donner pour ça?

L'homme s'essuya les mains et astiqua sa loupe avant de répondre.

– J'ai pas l'argent sur moi. Mais si vous prenez un chèque postdaté…

– Pas de chèque. Je veux des billets.

– Vous voulez ça en espèces? L'homme haussa les sourcils. Ça fait quelques milliers. Et vous allez vous promener avec ça dans les poches?

– Oui.

– Désolé. Je peux pas vous aider. Il faudra revenir dans quelques jours.

– Si j'accepte moins, combien?

– Je pourrais trouver deux mille environ, mais il faudrait que je fasse quelques appels. Ici, vous savez, la plupart des gens troquent de la pacotille. Revenez dans deux heures.

– D'accord. Merci.

Le propriétaire attendit qu'elle soit hors de vue, puis retourna à son téléphone:

– Je viens de rencontrer une cliente qui risque de vous intéresser. Elle avait des drachmes…

❖

Yasmin jeta un coup d'œil à la rue.

— C'est là? T'es sûr?

Enrique raccrocha.

— Oui. Le gars a vu les deux pièces de monnaie. Il a dit qu'elle reviendrait bientôt. On a la confirmation : les mêmes éléments chimiques qu'à l'appartement ont été retrouvés dans un cheveu prélevé sur la chemise du clown et dans celui trouvé sur le tapis du Palais des congrès. C'est assez pour une arrestation.

— Bon. Reste assis et ne regarde pas par la fenêtre. Il ne faut pas éveiller ses soupçons.

Les deux agents étaient vêtus en citoyens ordinaires et buvaient un café au Java Hut en face de chez le brocanteur, en compagnie de Bernard Saint-André. Yasmin portait un jean, Morales un pantalon cargo et Bernard, un molleton. Tous étaient en t-shirt.

Bernard faisait les cent pas en regardant sa montre. Yasmin et Enrique conversaient la tête basse, l'œil sur leur collègue Saint-André. Ce dernier sortit son téléphone. Yasmin toucha le bras d'Enrique.

— C'est le moment.

Il avait donné le signal, comme convenu, en se grattant la tête et en regardant le plafond.

Athéna, qui avait changé de tenue, portait un jean, et ses cheveux bruns la rendaient encore une fois méconnaissable.

Yasmin et Enrique se levèrent de table, tandis que Bernard entrait chez le brocanteur pour faire semblant de chiner.

Athéna tapait des doigts sur le comptoir.

— Vous avez dit que vous auriez l'argent.

Le propriétaire leva la tête.

– Oui, mais je dois remplir des formulaires.

Yasmin et Enrique entrèrent, l'arme à la main.

– Athéna Promachos? Vous êtes en état d'arrestation pour intrusion, méfait public, et espionnage présumé.

La déesse était furibonde.

– Vous vous trompez.

Yasmin s'approcha et passa les menottes à Athéna.

– On nous dit ça souvent, tiens. Faudra l'expliquer au juge. Vous pouvez toujours appeler un avocat.

Il ne faut pas résister, se rappela la déesse. Si seulement elle pouvait lancer un seul éclair... Thémis n'avait pas de téléphone. Athéna n'avait pas d'argent moderne. Les avocats mortels accepteraient-ils les drachmes? Pourrait-elle même les garder?

La presse fit état de l'arrestation partout au pays. De tous les services étrangers, y compris Interpol, aucun ne connaissait la suspecte. *La Promachos en prison. Déesse grecque détenue.*

✤

Ses premiers moments en prison ne ressemblaient en rien à l'expérience terrestre antérieure d'Athéna. Les détenues la bombardaient de questions: «C'est comment, être une espionne? T'es vraiment magicienne? T'as pas une cigarette?»

Bien qu'armées, les gardiennes ne l'approchaient pas. Les autres prisonnières lui avaient expliqué pourquoi: «Elles ont entendu parler de ta formation spéciale. C'est super cool. Tu peux nous enseigner ça? Nous aussi, on veut leur faire peur.»

Lorsque toutes les femmes autour d'elle s'endormirent enfin, la déesse, debout dans sa cellule, réfléchit. *Pile, nous les épargnons. Face, nous les détruisons.* De quel côté serait tombée la pièce? À ce moment, elle aurait souhaité que ce soit sur face.

Au petit matin, les haut-parleurs annoncèrent les visites. On demandait Athéna Promachos. Machinalement, elle se rendit à la salle des visiteurs. Abdoulaye la dévisagea avec inquiétude.

– Athéna. Je suis vraiment désolé. Dis-moi comment je peux t'aider: un avocat, de l'argent, des fournitures, n'importe quoi. Vincent est toujours au lit, mais il a tenu à te saluer aussi.

En observant le mortel, la déesse sentit quelque chose d'inhabituel, comme un plaisir. La présence d'Abdoulaye lui remontait le moral. Elle ne s'était pas attendue à ce que son moral eût besoin de se faire remonter.

– Je n'ai besoin de rien pour l'instant, mais je te remercie d'être venu. Dis-moi comment vont les autres, répondit-elle, en souriant sans faire semblant.

❖

La sergente Yasmin Sabharwal se mordilla la lèvre, puis regarda le caporal Morales.

– Ce cas-ci a été bizarre dès le début. Nous n'avons pas beaucoup de preuves physiques. Seulement des témoins, qui ont tous vu une femme différente. Officiellement, elle n'existe pas. Elle refuse de nous dire son nom véritable. Nous avons vérifié ceux qu'elle nous a donnés: Promachos, Glaukopis, Atrytone, Parthénos, Pallas… aucune personne qui lui ressemble même vaguement ne possède un de ces noms-là. Elle ne paraît pas avoir volé d'identité. Elle affirme n'avoir tout simplement jamais demandé de certificat de naissance, de permis de conduire, de passeport, ou aucun autre document. Personne n'est venu payer sa caution. Interpol n'a rien à son sujet ni au sujet de qui que ce soit qui pourrait lui ressembler. Elle n'a pris ni l'avion ni le bateau, et n'a passé aucun contrôle frontalier terrestre. Comment fait-on pour vivre sans aucun document officiel? Et comment a-t-elle réussi à venir ici sans ça? La seule explication, c'est qu'elle a réussi à tout cacher quelque part. C'est réussi! Nous risquons de ne rien apprendre sur ses complices.

Morales se racla la gorge.

— Écoute. Tu as fait ce que tu as pu. Nous avons tout fait de notre côté. Au minimum, c'est une sans-papiers. On peut la passer au ministère de l'Immigration pour qu'il s'en occupe.

— Comment va-t-il s'en occuper? On n'a nulle part où la déporter. Je crois pas qu'il existe de précédent pour un cas pareil.

— Elle n'a pas indiqué qu'elle était grecque?

— La Grèce ne l'accueillera pas sans papiers non plus. On peut pas simplement la déporter sur une banquise.

— Peut-être que non, mais la tentation est forte.

Pour la première fois de la semaine, Yasmin sourit.

⁘

— T'as du feu?

— Je ne fume pas.

– Tant mieux pour toi. C'est une mauvaise habitude, c'est sûr.

Dans la cour d'exercice, chaque centimètre de béton brûlait comme un four. Les détenues y faisaient le va-et-vient néanmoins, certaines d'entre elles jouant au basketball autour d'un anneau de fer sans filet. Ruisselantes de sueur, elles criaient leurs victoires.

– Ça, c'est cinq cigarettes!

– Tu les auras le même jour que moi! J'suis à court.

Athéna se tenait immobile, la peau très sèche et très pâle. Une détenue s'approcha. Elle était petite, parsemée de taches de rousseur, les cheveux d'un blond roussâtre.

– Tu devrais te mettre à l'abri du soleil. Ta peau va brûler.

– Je ne brûle jamais.

– Non? T'es née avec de l'écran solaire?

– Oui.

– Écoutez-moi ça. On a une comédienne parmi nous!

Mary, une femme imposante et plantureuse, aux cheveux noirs très courts, l'interpella.

– Laisse-la tranquille, Suzie. Elle est juste un peu différente, c'est tout.

– Ça, c'est sûr, grogna Suzie, qui s'éloigna néanmoins pour rejoindre les autres.

Une gardienne entra dans la cour.

– Athéna Promachos? Quelqu'un veut te parler.

Mary gronda.

– C'est la pause. T'as pas le droit de couper ça. Attends qu'on retourne à l'intérieur. C'est le seul moment qu'on a pour respirer l'air frais.

– Je la suis. Laisse-moi, riposta Athéna avant de quitter la cour.

Enrique Morales attendait dans une petite salle étouffante et sans fenêtre.

– Asseyez-vous. Nous avons des questions.

– Vous m'en avez déjà posé plusieurs.

– Ça ne sera pas long.

– C'est déjà trop long.

– Mme Promachos. Selon nos renseignements, vous n'êtes pas citoyenne canadienne. Comment êtes-vous entrée au pays ?

– Je suis descendue du Ciel.

– Je vois. Un parachute, alors. Bon. On avance. Était-ce d'un hélicoptère ou d'un avion ?

– Il n'y avait aucun parachute, ni hélicoptère, ni avion.

– Bon. Un deltaplane, alors ?

– Non.

– Un ballon ?

– Non.

– Un zeppelin ?

– Non.

– Quoi, alors ? Une corde suspendue à un nuage ? Une paire d'ailes d'ange ?

– Je n'ai ni besoin de corde, ni d'ailes.

Le caporal Morales se frotta les tempes.

– Mme Promachos, nous sommes à bout de patience. Vous affirmez être descendue du Ciel. Quel véhicule, exactement, avez-vous utilisé pour arriver au pays ?

– Je ne peux vous le dire.

– Pourquoi ? Qui protégez-vous ?

Olympe. Les dieux. Notre caractère sacré, songea Athéna en silence.

– J'espère que vous vous rendez compte que vous aggravez votre situation. Tout ça commence à ressembler à un coup monté de façon très méticuleuse. D'une façon ou d'une autre, nous trouverons le moyen de vous faire condamner. Tant que vous refusez la coopération, vous risquez d'être détenue à vie.

La vie? L'éternité… pensa encore la déesse.

❖

Thémis eut le souffle coupé face à la scène qui se jouait sur Terre.

– Nous ne pouvons permettre aux mortels de continuer à s'acharner sur elle. C'est allé trop loin.

Némésis haussa les épaules.

– Comment pourrions-nous intervenir discrètement? Les humains nous découvriraient.

– Non. Athéna s'est pliée à ma volonté. Mais voilà qu'elle risque de payer de son existence. Il faut l'empêcher! Allons consulter Apollon, dieu de la Vérité.

❖

La salle commune était presque déserte, ses tables égratignées en plastique couleur de bile éparpillées çà et là comme par un enfant géant. Deux ampoules brillaient depuis le plafond jaune, éclairant des murs blanchâtres qui avaient grandement besoin de se faire repeindre.

– Ha! J'ai un *full,* jubila Mary.

– Oui, mais elle fume pas, alors elle a pas de cigarette, observa Suzie.

– Tu me donnes ton dessert, alors.

– C'est acceptable, répondit Athéna.

– Ça doit. Tu manges jamais, nota Mary. Je t'ai pas vue te mettre quoi que ce soit sous la dent, et ça fait trois jours que t'es là. Est-ce que tu gardes tes affaires sous le matelas pour t'empiffrer la nuit?

– Non.

– Bon. Tu fais ce que tu veux, tant que tu me refiles ton dessert. Une entente c'est une entente.

– Oui.

Un fracas métallique annonça la tombée de la nuit.

– Cinq minutes avant de fermer les lumières!

– Merde. Je voulais me laver, dit Suzie.

– Vas-y. T'as encore le temps.

– Tu trouves? Moi, je me nettoie quand je me lave, répondit Mary.

Mary donna à Suzie, qui s'en allait, une tape amicale sur les fesses. Athéna déposa ses cartes.

– Deux paires.

– Maudit. Ce sont des as. Tu triches!

– Non, mais je te donne mon dessert de toute façon. Je te l'ai promis. Je tiens toujours parole.

Un cri résonna.

– Qu'est-ce qui se passe?

Mary bondit de sa chaise et courut en direction du chahut. Athéna la suivit. Elle entendit un chuchotement quasi imperceptible.

– Tais-toi, la conne!

Mary vit une gardienne bousculer Suzie. Celle-ci fit signe à Athéna de reculer et s'éclipsa. Mais la déesse se rengorgea, se rappelant ce qu'on lui avait dit. *Elles ont peur de toi.* Elle affronta la gardienne.

– Qu'est-ce que tu veux, salope? La voix de la

gardienne tremblait malgré l'insulte.

– Je veux que tu relâches mon amie.

– C'est ton amie, ça ?

– Oui. Et je suis certaine qu'elle veut que tu la laisses tranquille.

– Ah oui ?

Elle suait à profusion. Son assurance diminuait à vue d'œil.

– Oui.

Athéna s'avança d'un air menaçant, comme si elle désirait faire usage de pouvoirs mystérieux. C'était un combat nouveau, mené par la pensée.

La gardienne tremblait visiblement. Elle cracha au sol et s'éloigna à grands pas.

Athéna s'accroupit à côté de Suzie et l'examina.

– Es-tu blessée ?

Suzie fit non de la tête.

– J'ai seulement quelques poques. Pas de coupure. Merci. Je suis super contente de t'avoir comme amie.

Amie.

Athéna ressentit une émotion inconnue. Elle n'avait jamais eu un sentiment aussi fort à faire la guerre, à donner la bastonnade à des mortels ou à accepter la vénération de ses adorateurs au pied de son temple. Son cœur parut se remplir d'air chaud, comme un ballon robuste. Ce n'était pas désagréable. Elle se sentit comblée et souhaita que la sensation demeure. *Les déesses ont-elles des amies ? Si non, je serai la première*, décida-t-elle.

C'était bien d'être première.

– J'en suis très heureuse.

Elle donna la main à Suzie pour qu'elle se relève.

Apollon fronça les sourcils.

— Laisser Athéna à elle-même ne nous aide pas à garder le serment que nous avons prêté pour préserver l'équilibre cosmique. Chaque instant qu'elle passe dans cette prison augmente les risques que soit bouleversé l'ordre naturel.

— Le dieu de la Vérité nous montre le chemin, entonna Thémis.

— Tu lui as dit de ne pas résister, lui rappela Némésis.

— Et elle ne devrait pas le faire, prononça Apollon. Ce n'est pas à elle d'agir. Nous connaissons tous son tempérament. En effet, elle ne doit pas intervenir dans la vie des humains. Sa mission est de nous livrer un rapport à partir duquel nous déciderons du verdict : la vie, ou la mort. Mais qu'elle se serve de ses pouvoirs ou non, elle ne sera jamais mortelle. Elle soulèvera des tempêtes partout sur son passage.

— Il faut donc la sortir de cette prison.

— Oui. À ce stade, elle aura assez observé les mortels pour donner ses recommandations.

Némésis n'était pas convaincue.

— Comment ferons-nous pour la libérer sans encourir de problèmes avec les mortels ? Nous avons vu de quoi ils sont capables. Nous n'en sommes plus à l'époque où on pouvait laisser un cadavre ensanglanté dans la forêt pendant des années sans que personne se pose de question.

— En effet, il faudra user de discrétion, confirma Apollon.

— Il ne faut pas nous mêler aux humains, ou utiliser

leurs artéfacts. L'incident du badge au congrès est à la source de nos difficultés actuelles, observa Thémis.

Némésis poussa un soupir.

– Que faire, alors ?

– La nature, trancha Apollon. Nous l'exploiterons pour faire diversion et libérer Athéna.

– Mais certains mortels risquent de mourir avant l'heure, lança Némésis.

– Pas si nous sommes précautionneux, suggéra Thémis.

Apollon acquiesça.

– Voilà le bon chemin à prendre. Consultons les éléments et ceux qui règnent sur eux.

Hadès reçut le trio en grognant de mécontentement.

– La terre tremble rarement dans cette région. Si je la secoue, cela paraîtra trop étrange.

Poséidon fit écho à son frère.

– La prison n'est pas du tout près de la mer. Je ne peux pas l'inonder.

Héphaïstos refusa tout court.

– Mon feu ragera trop fort. Trop de mortels périront. Et vous connaissez mon historique avec Athéna. Je ne suis pas son dieu préféré.

Il ne restait plus qu'Éole, qui se trouvait chez lui en compagnie de Zéphyr et Boréas lorsque les autres dieux frappèrent à sa porte. Thémis plaida :

– Vos pouvoirs sont invisibles. Vous pourriez faire sauter les murs et on n'y verrait rien. Vous pourriez ramener Athéna au Ciel. C'est notre seul espoir.

Éole réfléchit.

– Très bien. Je ferai souffler un vent puissant, et je ramènerai Athéna Parthénos au mont Olympe pour qu'elle puisse livrer son rapport. Mais vous devez d'abord consulter Zeus. À titre de Dieu des dieux, il est le gardien des éclairs. Nous risquons d'avoir besoin de lui.

Les chambres de Zeus étaient interdites aux visiteurs. Son cortège céleste expliqua que le Seigneur des dieux était occupé. Thémis entendit un ricanement, puis un grognement. Elle se racla la gorge à haute voix et tapa du pied sur le plancher de marbre vert à veines d'or. Les bruits à l'intérieur cessèrent immédiatement et la porte s'ouvrit d'un coup.

– Héra? C'est toi, chérie? Je peux tout t'expliquer.

Thémis, Némésis et Apollon se tinrent cois et attendirent. Zeus sortit d'un pas pesant. Lorsqu'il les aperçut, il rugit de colère.

– Comment osez-vous déranger le sommeil de Zeus?

Thémis le regarda avec hauteur.

– Le sommeil? Tu dors à voix haute, cher neveu, et tes rêves sont décidément très agréables.

Zeus rougit et bredouilla:

– On m'administrait des soins absolument nécessaires.

– Qu'ils soient nécessaires ou pas, je m'en balance. Nos affaires sont plus urgentes que les ricanements d'une nymphe. Nous devons ramener Athéna, puisque le destin du monde en dépend. Éole est d'accord pour nous aider. Nous aurons sans doute besoin de tes éclairs.

– Je vous les donne.

⁂

Yasmin se réveilla en sursaut. Les feuilles de papier où elle avait posé sa tête étaient désormais froissées. Chaque centimètre de son bureau était tapissé de dossiers. Sa poitrine vibrait de désespoir, ou peut-être d'un surplus de cholestérol, vu les repas de restauration rapide qu'elle avait l'habitude d'avaler goulûment en travaillant.

Enrique paraissait en pire état qu'elle.

– Toujours rien. Pourtant, cette Athéna fait peur. Ses méthodes sont inquiétantes et elle s'est introduite sans autorisation sur les lieux d'un congrès international. Elle me fait penser à Carlos le Chacal. Il faudra peut-être faire part de son dossier au SCRS, ou même à la CIA.

– On commence par où, exactement?

– Vu qu'elle est en prison, il y aurait peut-être moyen d'en apprendre davantage là-bas. Apparemment, elle a commencé à se lier d'amitié avec d'autres détenues.

❖

La cafétéria résonnait de bavardages, et dans la file d'attente du buffet, les coudes étaient levés plus haut que d'habitude.

– C'est du maïs en épis.

– J'ai entendu dire qu'il y avait du gâteau au fromage.

– On en a déjà eu. Ça goûte le plastique.

– Tout goûte le plastique.

Mary se pencha vers Athéna pour lui chuchoter à l'oreille.

– Oublie pas, Mimi. Ton dessert est à moi.

Un objet tomba de la poche de Mary. Sa voisine l'attrapa aussitôt.

– Regarde ça. C'est un brin de paille avec un ruban. Je peux peut-être le fumer?

– Redonne-moi ça, salope! C'est mon foin d'odeur. C'est sacré. T'es pas censée toucher à ça.

– Ah, oui? Essaye de m'arrêter!

Mary donna un coup de poing sur l'œil gauche de l'autre détenue, laquelle laissa tomber le foin d'odeur et se mit à hurler.

– La salope m'a frappée! Elle est bâtie comme un camion!

– Tu l'as mérité! dit Mary, en ramassant la tresse de foin sur le plancher. Elle l'examina avec vénération, puis la remit dans sa poche.

La femme gémissait toujours. Une gardienne intervint.

– Qu'est-ce qui t'est arrivé?

La femme désigna son œil, puis montra Mary du doigt.

On emmena Mary, qui protestait à haute voix, sans la laisser manger.

– Tu me réserves ton dessert, Mimi!

Suzie soupira en adressant la parole à Athéna:

– Mary se sert toujours de ses poings avant de se servir de sa parole. Elle passe beaucoup de temps en isolement. C'est pas bon pour elle. Chaque fois qu'elle y va, son dossier se gâte.

De retour à sa cellule, Mary boudait, assise sur une chaise. La gardienne la poussa pour lui tirer les vers du nez.

– Écoute, cette femme-là m'a volé mon foin d'odeur.

216

Elle a essayé de bousiller ma liberté de religion. Ça compte pas, ça?

– Oui, sûrement. Tu peux déposer une plainte formelle. Mais ça se fait pas en frappant les gens dans l'œil. Tu vas chercher un formulaire, tu trouves un stylo, tu remplis le formulaire, tu nous le remets, tu attends qu'on prenne une décision.

– Les coups de poing, c'est beaucoup plus rapide.

La gardienne fit un sourire goguenard.

– Je sais que ça peut avoir l'air mieux, mais à long terme, ça te cause des ennuis.

– J'aurai cent ans avant d'obtenir justice. Même deux cents ans! Peut-être que j'ai déjà abandonné la partie.

– Faut pas abandonner. Je sais que si c'est moi qui le dis, ça te tente pas de me croire, mais attends. On sait jamais ce qui peut arriver.

– Ouais, comme un camion plein de vidanges pourries qui va me trouver et me tomber sur la tête.

La gardienne pouffa de rire.

– T'as de la gueule! Tu pourrais t'en servir plus souvent que de ton crochet droit.

– Je pourrais au moins avoir un peu de pain et d'eau?

– On va t'apporter ton plateau. C'est pas un donjon médiéval, ici.

– C'est à s'y tromper.

La gardienne la quitta.

Cinq secondes plus tard, quelqu'un l'interpella tandis qu'elle s'allongeait sur son lit.

– Pardon. Vous êtes bien Mary Odjig?

– Qui me demande?

– Je m'appelle Bernard Saint-André. J'aimerais vous parler.

– Désolé. Mon calendrier est rempli. Faudra revenir le mois prochain.

– Madame Odjig, c'est une question de sécurité nationale.

– Ah, oui? La sécurité nationale de qui, exactement? On pourrait discuter de la guerre bactériologique contre mon peuple, ou encore des pensionnats. Y a aussi le poison que vous avez semé librement dans notre eau, notre terre et notre ciel, pas vrai? Je vais te dire de quoi: pour assurer ma sécurité nationale à moi, il faudrait vous déporter toute la gang. Et toi, tu devrais clairement me laisser tranquille.

– Ce sont des arguments entièrement valables et j'apprécie votre point de vue.

Mary imita le policier.

– Nia, nia, nia. «J'apprécie votre point de vue», nia, nia, nia, bla bla bla bla bla.

Bernard inspira profondément.

– Je comprends, madame. Je partage votre avis. Toujours est-il que vous êtes obligée de nous faire part de tout renseignement que vous avez sur Athéna Promachos. Si vous manquez à cette obligation, cela peut entraîner des accusations criminelles.

Mary le dévisagea avec fureur.

– Tu. Me. Niaises.

– Non, madame. Selon nos renseignements, vous vous êtes liée d'amitié avec une certaine Athéna Promachos, dénommée Mimi. Cette femme est dangereuse.

La détenue éclata de rire.

— Mimi? Tu me niaises, certain! Ce qu'on dit sur elle, c'est pas vrai du tout. Elle est fine, mais c'est une mauviette de première classe. Elle parle tout croche. Elle fume pas. Elle mange pas en groupe, comme si c'était pas poli, ou quelque chose comme ça.

Bernard Saint-André se racla la gorge.

— La mauviette en question pourrait être une agente infiltrée au plus haut niveau, et possède des habiletés mortelles.

— Écoute-moi bien. Mimi, c'est mon amie. Elle a aidé une autre de mes amies. Je te dirai rien. De toute façon, y a rien à dire. C'est clair comme de l'eau de roche qu'elle a jamais été en prison de sa vie. La vraie raison pour laquelle vous allez rien apprendre de moi, c'est qu'y a rien à savoir.

— Vous dites qu'elle a aidé quelqu'un. Comment?

Mary fit la moue.

— Une gardienne a attaqué mon amie Suzie. Mimi a pas eu besoin de lever le petit doigt. Vous avez assez fait peur aux gens en leur disant qu'elle était dangereuse que ça lui a suffi. Elle a juste parlé à la femme, en gardant son sang-froid. L'autre a déguerpi sans demander son reste.

— Elle a beaucoup de sang-froid?

— Oui. Elle est forte, mais c'est tout psychologique. Elle s'endort toujours la dernière, et elle est toujours la première à se lever le matin. Elle sue jamais puis elle a jamais de coup de soleil.

— Je vois. Merci de m'avoir parlé.

— J'ai rien dit. Y a rien à dire.

IV

Thémis regarda Némésis tandis qu'Apollon jouait une douce mélodie sur sa lyre.

– C'est le temps. Il faut appeler Éole.

– Oui. Les mortels commencent à comprendre.

Ils dirigèrent leur attention vers les portes en or massif menant à la salle du conseil, déserte en ce moment. Chaque panneau dépeignait une scène de l'histoire des dieux : la bataille de Troie, qui avait divisé le panthéon et qui servait encore de leçon aujourd'hui ; le déluge qui avait suivi la visite de Zeus et d'Hermès sur Terre ; la revanche d'Héphaïstos sur Arès ; l'hubris de Méduse ; la descente d'Orphée jusqu'aux Enfers... Tant de souvenirs, se dit Thémis.

Les portes s'ouvrirent lentement, poussées par un vent puissant. Éole entra en coup de vent, suivi de ses six fils.

– Je me présente au service des dieux.

Zeus le suivait, ses éclairs brillant autour de lui.

– Commençons.

Apollon déposa sa lyre et s'avança.

– Il ne faut faire de mal à aucun mortel, ni changer le sort de quiconque.

Éole maugréa.

– Ne pas faire de mal, ça va. Ne pas changer le sort de quiconque, c'est un tout autre défi.

– Et toi, tu es le dieu des vents, tandis que Zeus règne sur nous tous. Le défi est relevable.

❖

Yasmin sortit de la douche et jeta un coup d'œil à l'horloge pendant qu'elle s'épongeait les cheveux à l'aide d'une serviette. Il était midi. Elle avait dormi neuf heures, soit davantage que durant toute la semaine. Sans cette journée de congé, il lui aurait fallu un congé de maladie, songea-t-elle. Ils en avaient tous besoin. Aujourd'hui, c'était à son tour, ensuite Bernard et Enrique pourraient faire une pause. Elle comptait regarder la télévision, déjeuner longuement, regarder de nouveau la télévision, puis prendre du sommeil. Beaucoup de sommeil.

Elle s'installa pour regarder les nouvelles. On présentait un reportage sur le mauvais temps.

– Les dernières nouvelles, en provenance de l'intersection de la rue Aspen et de l'avenue Fox, à Toronto. Des vents violents ont abattu plusieurs arbres sur les routes, bloquant complètement l'accès à tout véhicule dans le secteur. Ces mêmes vents ont fait tomber les lignes électriques du centre de détention pour femmes, et les générateurs de secours auraient été frappés par la foudre.

Le météorologue apparut à l'écran, gesticulant devant une carte de l'Ontario.

– Un front météorologique des plus étranges est apparu sans avertissement ici. C'est un microclimat qui s'est déployé sur une très petite section de la ville. Les vents vont jusqu'à deux cents kilomètres à l'heure. Les spécialistes d'Environnement Canada disent que le phénomène n'avait jamais été observé auparavant dans la province.

Un autre homme, les cheveux et la barbe noire, fit son apparition.

– Eh bien, John, voilà un développement très inusité, mais nous risquons de voir davantage de ces microconditions avec l'accélération du réchauffement de la planète. La météo mondiale devient de moins en moins prévisible, comme on le sait. Cela devrait attirer l'attention sur l'importance de limiter les émissions de gaz à effet de serre, pour arrêter le réchauffement global.

Yasmin cligna des yeux et frotta ses paupières toujours enrobées de sommeil. Aspen et Fox. C'était la prison à sécurité maximale où l'on gardait captive Athéna Promachos. Il y avait également là trois cent quarante-six détenues, dont certaines étaient dangereuses. Elles n'auraient pas pu planifier une meilleure tactique d'évasion. La sergente enfila un jean et une chemise, s'empara de son arme et partit immédiatement, en composant le numéro de Morales sur son téléphone.

– Je me rends au centre de détention. Retrouve-moi là.

À l'extérieur de la maison, le soleil brillait dans

un ciel bleu. De la foudre à l'ouest? Comment? Elle se glissa derrière le volant de sa Jeep. Les routes étaient étonnamment dégagées pour un après-midi de semaine. Elle alluma la radio.

– Dernières nouvelles: selon plusieurs témoins, les murs du centre de détention pour femmes de Toronto Ouest se font frapper par une tempête de foudre. Jusqu'à présent nous n'avons aucun rapport sur les dommages ou sur l'état des détenues. Restez à l'écoute. Nous vous ferons part des derniers développements dans cette affaire.

Yasmin arriva à la rue Aspen. À environ deux cents mètres, les arbres tombés étaient entassés les uns sur les autres comme pour former une barricade. Plus loin, le centre de détention paraissait tranquille et assombri. Elle stationna son véhicule, se rendit jusqu'aux débris et se mit à les escalader.

Des cris de joie résonnaient dans chaque partie du pavillon cellulaire, tandis qu'une mer de points scintillants illuminait le noir ponctué par le faisceau d'une lampe de poche.

– Restez tranquilles. Vous irez nulle part! s'écria la gardienne en chef.

– Tu crois ça? Regarde-moi! Ah oui, tu peux pas. Tu vois rien!

Mary cogna sur les barreaux de sa cellule. La gardienne lui cria dessus.

– Assez! Vous restez toutes en isolement cellulaire jusqu'à ce que le courant soit rétabli.

– C'est pas juste. C'est pas à cause de nous que le vent souffle comme ça.

– C'est pas de notre faute non plus, mais vous devez quand même rester dans vos cellules. Le courant reviendra bientôt. Ça devrait pas prendre plus que quelques heures.

Athéna se tenait debout dans sa cellule sombre. La panne d'électricité avait été causée par le vent et les éclairs. Des éléments naturels… Les dieux ne l'avaient peut-être pas abandonnée, après tout.

Un grand bruit retentit et le mur prit feu. Le béton s'écroula en miettes, laissant un trou béant assez large pour laisser passer un humain. Athéna regarda à l'extérieur. Les vents s'étaient calmés, laissant les arbres, poteaux téléphoniques, fils électriques et clôtures empilés sur le sol.

Elle songea à Suzie et à Mary en train de jouer aux cartes, riant et discutant. Ses amies étaient ici, les seules qu'elle avait au monde. Les deux prisonnières ne pourraient l'accompagner au mont Olympe. La déesse en eut un pincement au cœur. Elle murmura un adieu les yeux fermés, puis sortit par le trou dans le mur.

Yasmin regarda vers le haut, s'essuyant le front avec sa chemise. Le centre de détention, un bloc de béton trapu à sept étages, ressemblait à un hôpital. Idéalement, on pourrait le qualifier ainsi, pensa-t-elle.

Son téléphone sonna.

– Morales? Je suis sur le côté est. T'es derrière moi? Tant mieux. Oui, je sais qu'il faut faire très attention. J'ai lu les rapports. Nous avons affaire à une femme extrêmement bien formée… Pardon? Morales, ça c'est de la science-fiction. Nous ne sommes tout de même pas de ceux qui voient des complots partout. Tu vas finir par me dire que c'est une créature reptilienne, comme Hillary Clinton. L'ASC? Non, nous n'allons pas appeler l'Agence spatiale canadienne. Ni la NASA. Oui, peut-être la CIA. J'ai déjà communiqué avec le SCRS.

Elle inspira profondément et fit la grimace, puis reprit son téléphone.

– Écoute. Enrique. Je sais que tu travailles fort. Je crois que t'as besoin de te reposer. Laisse faire, c'est un ordre. Non, non, pas question! Je suis désolée de t'avoir appelé. Envoie-moi Bernard et retourne chez toi!

Et combien de temps ça lui prendra? Bonne question. Où était la cellule d'Athéna, au juste? Ah oui, dans le bloc nord, juste à droite. C'est entre nous deux, maintenant.

Le centre de détention était juché sur une colline, d'où l'on pouvait bien voir quiconque en sortait ou s'en approchait. Il commença à pleuvoir. Yasmin s'arma de courage et commença son ascension, glissant à chaque pas.

Après quelques minutes d'escalade pénible, elle vit bouger une forme orange. C'était une détenue. La sergente saisit son arme tandis qu'elle s'efforçait d'avancer, couverte de boue.

– Arrêtez! Haut les mains. GRC!

La forme courut plutôt vers l'autre côté de l'édifice, sans glisser du tout. On aurait dit qu'elle volait. Une autre impossibilité. C'était forcément Athéna. Elle était une athlète d'élite, manifestement.

Yasmin atteignit le côté nord de l'édifice. Plus

aucune trace d'orange. Elle poursuivit sa ronde, puis vit de nouveau l'uniforme coloré. Il ne bougeait pas. Était-ce une ruse ?

Plus loin, derrière un des arbres qui n'étaient pas tombés, une Athéna nue suivait sa poursuivante du regard. La mortelle s'apercevrait bientôt qu'elle avait enroulé son uniforme autour d'un buisson. Elle s'éloigna furtivement de la sergente et dégringola la colline, en roulant sur une partie du trajet. Couverte de boue de la tête aux pieds, elle regarda le ciel et la pluie cessa.

Un peu avant d'atteindre le buisson, Yasmin comprit que la détenue s'était échappée encore une fois. Mais où ? Elle étudia le sol pour déceler des empreintes. Il n'y en avait pas, malgré la boue. Bien sûr qu'il n'y en avait pas. L'évadée avait plané au-dessus du sol plutôt que d'y planter les pieds comme un être humain normal.

Elle entendit un sifflement perçant et la voix d'un homme au bas de la colline :

— Je savais pas qu'on avait organisé des combats de boue ici. Je peux participer ?

Yasmin dévala la pente, juste à temps pour voir Athéna s'enfuir par la rue. L'homme l'interpella.

— Où tu vas ? Je te ferai pas de mal ! Laisse-moi t'inviter à souper !

La sergente Sabharwal gronda en le dépassant à toute allure.

— C'est une prisonnière évadée, Einstein ! Elle est dangereuse !

— J'en doute pas ! s'écria-t-il en guise de réponse.

✢

Thémis observait la scène d'un air alarmé.

– Cette mortelle gagne du terrain.

Apollon secoua la tête.

– Nous ne pouvons utiliser que la nature.

– La mort est bien naturelle.

Apollon soupira lourdement.

– Tu sais que la mort change le chemin décrété par les Parques. Lachésis nous rendra muets si nous commettons un meurtre.

– Hormis le meurtre, que faire? Comment arrêter la policière?

Apollon réfléchit, et sourit lentement.

Engagée dans une poursuite acharnée, Yasmin courait de toutes ses forces. Soudain, elle s'arrêta net, happée par un nuage de poussière. Elle éprouva une sensation de picotement intense et éternua : une, deux, trois, quatre fois. Pliée en deux, les yeux larmoyants, elle se releva pour constater qu'Athéna avait disparu de nouveau.

Dissimulée derrière un petit conteneur de métal rouge à côté d'une église déserte, la déesse se leva avec prudence afin d'en ouvrir la trappe. Les mots «Armée du Salut / Salvation Army» étaient peints sur le devant en lettres blanches. Elle jeta des coups d'œil furtifs autour d'elle. Personne. Heureusement, le conteneur était plein. Athéna en sortit plusieurs articles: quelques pantalons, plusieurs chemises, un manteau bleu. Elle enfila ce qui était à sa taille et remit le reste dans le conteneur. Le pantalon était trop large, et Athéna avait dû se nouer une cravate autour des hanches en guise de ceinture.

Enfin rhabillée, elle chercha un endroit tranquille qui lui permettrait de passer inaperçue durant son ascension. Il était temps. Elle était prête à présenter son rapport.

– Je l'ai presque eue! J'en pleurerais…

Yasmin fit claquer une pile de papiers sur son bureau, tremblante de colère. Bernard la rassura.

– Tu ne peux pas te blâmer pour ça.

– Je ne me blâme pas. Je blâme mes allergies! Quelle horrible coïncidence!

– En effet, dit Bernard. Mais nous avons établi un périmètre de recherche. Tu dis qu'elle était nue. Elle ne passera pas inaperçue.

– Tu la connais pas, on dirait!

Au bord d'une rivière, Athéna se dressait en silence, voilée par une brume impénétrable. Elle était immobile, le vent tirant ses vêtements. Sa forme s'estompa graduellement, puis disparut.

Les rires fusaient dans la salle de conseil des dieux.

– Des éternuements. Brillante idée!

Apollon rayonnait.

— Merci. J'aime bien me croire original. La foudre de Zeus était de l'or en barre, avouons-le, tout comme les vents d'Éole.

Zeus tapa des mains.

— Avance, ma fille. Livre-nous ton rapport. Les mortels doivent-ils vivre, ou périr?

Athéna s'approcha du trône doré, son péplos lui drapant la silhouette, l'égide de son père sur la poitrine.

— Bien qu'ils m'aient beaucoup exaspérée, j'ai fini par prendre en affection les humains, ô mon père. Certains d'entre eux méritent leur existence. Laissons-les vivre, mais aidons-les à se réformer.

Un murmure étonné s'éleva dans la salle, quelques voix crièrent au scandale.

Zeus fronça les sourcils.

— Toi? Prendre les mortels en affection? Je ne peux le comprendre. Les aider? Que proposes-tu? Ils sont têtus.

— En effet. Il faut les éduquer et les inciter à prendre davantage soin de la Terre.

— Très bien, mon enfant guerrière. Tu es la déesse de la sagesse. Ce sera ta responsabilité. Tu as trois années terriennes pour le faire.

Athéna inclina la tête et sortit de la salle de conseil.

Seule à nouveau, elle ouvrit la main. Dans sa paume luisait un brin de foin d'odeur. Elle sourit.

⁜

Dans la prison, Mary et Suzie mangeaient leur dessert en soupirant.

— Je me demande où elle est, marmonna Mary.

– J'espère qu'elle est partie pour Hawaï. C'est telle-ment beau là-bas, hasarda Suzie.

– Comment tu le saurais? T'es jamais allée, et moi non plus, grogna Mary.

– Pas besoin d'y aller pour voir les photos, quand même. C'est un paradis. Tout le monde le sait.

– Bon, bon, assez parlé du paradis. C'est pas ici qu'on va le trouver.

– Non, mais on peut toujours y rêver.

Mary hocha la tête.

– Au moins elle nous a laissé des souvenirs. Elles sont belles, les pièces de monnaie.

– Ouais. Elle t'a dit quoi, avant de te les donner?

– Qu'il fallait que je me serve de ma tête au lieu de mes poings. Facile à dire. Mais je veux bien essayer. Elle m'a encouragée à m'intéresser à ma culture et au respect de la nature. C'est vrai que nous, les Autochtones, nous avons ça à cœur. Elle a raison. Ça m'inspire, tu sais. Elle m'a donné le nom de quelqu'un à qui parler quand je vais sortir : Abdoulaye. Il a un magasin et il fait de l'éducation. Et puis, je vais me servir de ces pièces de monnaie-là.

– Pour ta culture?

– Moui. Ça, et puis pour partir en vacances. Des vacances écologiques, tiens. Tu viens avec moi?

– C'est sûr! Je veux voir Hawaï.

– Tu l'as dit. C'est un rendez-vous!

FIN

TABLE DES MATIÈRES

MIXTE
Papier issu de
sources responsables
FSC® C100212
www.fsc.org

Achevé d'imprimer
en novembre 2016 sur les presses
de l'Imprimerie Gauvin, à Gatineau (Québec).